文化とまちづくり叢書

アートマネジメントと社会包摂

アートの現場を社会にひらく

九州大学ソーシャルアートラボ［編］
村谷つかさ・長津結一郎［企画・構成］

SAL BOOKS ②

水曜社

はじめに

本書は、「社会包摂につながる芸術活動」について、同じ志を持ち活動を行う方々へ届ける、九州大学ソーシャルアートラボ（ＳＡＬ）からの「提言」としてまとめました。難解な言葉で専門的な知識を語るものではなく、読者が共感しながら読み進められ、良い未来を思い描き、その未来の実現に向けた一歩を踏み出す力となるものを目指しています。

社会包摂につながる芸術活動の特徴として、対象とする人や課題の状況、関わる利害関係者など、多くの要素が組み合わさった個別性の高い現場が想定されます。また、アート分野のみでなく福祉や教育、国際、地域文化など複数の分野と交錯した活動内容となることも特徴と言えるでしょう。近年、国内の動向として社会包摂につながる芸術活動に対する関心は高まり、これまでの民間における草の根的な活動の広がりに加え、法整備も進められています。しかし、そのような個別性の高い現場の間でも共通する活動の概念、あるいはアート作品の質に対してのみでなく活動が社会に与える良い影響を捉えるための評価の在り方は明確に示されていません。また、活動のマネジメントにおいて必要となる視点や求められる人材像など、多くの点が十分に整理されていない状況でもあります。

そのような状況を受け、ＳＡＬは２０１８年から「アートと社会包摂」をテーマとして、調査研究と実践活動を併せて行ってきました。調査研究の成果としては、２０１８年度から２０２０年度にかけて社会包摂につながる芸術活動の概念や評価に関する教材開発を行い、活動現場で活用できることを意図したハンドブックを年度ごとに出版しました。そのハンドブックの3年分の内容をまとめ、『文化事業の評価ハンドブック――新たな価値を社会にひらく』（水曜社、２０２１）として書籍化しています。そして、一方の社会包摂につながる芸術活動の実践から得た成果をまとめたものが本書となります。
本書では「社会包摂」「アート」「アートマネジメント」などの用語が持つ意味を、既存の概念として理解するのではなく、実践現場から立ち上がる実感を伴った言葉で捉え直すことを試みました。それらを感覚と理論の両面から読者に伝えることを意図して、次のように構成しています。

Ⅰ「活動への扉をひらく」では、社会包摂につながる芸術活動への扉を読者と一緒に開きます。講師、学生、協働団体、運営スタッフ、受講者という立場から携わった方々に、活動との出合いや得た気づき、生じた心の変化などを語ってもらいました。読者にも自分の姿と重なる語り手が見つかるはずです。また、この章では社会包摂につながる芸術についての概念も示しており、活動の前提となる基本的な知識を学ぶことができます。

Ⅱ「場をかたちづくる思い」では、活動の根幹となる人の思いを集めました。社会包摂につながる芸術活動には、最初から正解のかたちがあるわけではありません。活動の場は、課題のある状況や関心のある対象に対して個人が抱く思い（課題意識、願い、衝動、興味、信念、問いなど）から立ち上がるものです。それぞれの動機に突き動かされ、実践現場をかたちづくってきた人々の思いに触れてみてください。

Ⅲ「備忘録―言葉の雫、未来への光」は、社会包摂につながる芸術活動に関わる中で人々が残した言葉の雫を光らせ、一編の詩のように全体を紡いでいます。短い言葉と画像を融合させた鮮やかなメモランダム。活動において心に留め置くべきことを具体的なイメージとともに感覚的に伝えています。自らの心の機微に触れ、未来につながる光を感じることができるでしょう。

Ⅳ「現場から立ち上がる言葉」では、三つのフィールドで実施した活動の軌跡から、各活動を主導した研究者／実践家たちが論考し、自身の実感を伴った言葉で「アートマネジメント」など用語の意味を捉え直しています。それらの論考を通し、場をマネジメントする際に要となった思考をたどるとともに、個々の現場においてアートマネジメントが持つ意味やその在り方について考えるきっかけを得られるはずです。

V「未来への歩みをデザインする」では、社会包摂につながる芸術活動のマネジメントに必要な視点を考えます。マネジメントの視点として、管理や経営の技術（スキル）よりも、現場で活動を行うときの姿勢（マインド）に着目しています。何を起点に発想し、どのような関係を育みながら活動するのか、各現場の状況に適したマネジメントの在り方を考え、目指す未来へ向けた一歩を踏み出すためのヒントとなるでしょう。

活動を社会の中で展開していくには、自分自身、そして共に活動する仲間と良い未来のビジョンを持つことが大切だと言えます。しかし、その具体的なビジョンをイメージしたり、言葉で表したりするのは難しいことです。本書が、皆さんが持つ意識や潜在的な希望をイメージや言葉として具体化することに役立ち、今後の活動を後押しする一助となることを願っています。

本書企画・構成　村谷つかさ

目次

V　未来への歩みをデザインする　201

九州大学ソーシャルアートラボ（ＳＡＬ）2018〜2020年度の活動

社会包摂につながる共創的芸術活動を実践するためには何が必要なのか。この問いに答えることを目指し、ソーシャルアートラボでは、「アート活動を通した〝共に生きる社会〟の創造」をテーマに、実践を通してより良い人材育成の方法を模索する三つの実践講座、多種多様な社会包摂に関する事例を広く紹介する公開講座、人材育成のための教材開発を行いました。

実践講座では、①平成29年7月九州北部豪雨で大きな被害を受けた山里の「共星《きょうせい》の里 黒川《くろがわ》ＩＮＮ美術館」（福岡県朝倉市黒川）における九州北部豪雨災害復興支援プロジェクト、②重い病気や障害のある人たちの支援を行っている認定ＮＰＯ法人ニコちゃんの会（福岡市）との〈演劇と社会包摂〉制作実践講座、③認定ＮＰＯ法人山村塾（福岡県八女市黒木町笠原地区）との「半農半アート」をテーマとした奥八女芸農プロジェクトを実施してきました。

公開講座では、障害、高齢化、ジェンダー／セクシュアリティ、在日外国人などの課題に関わる芸術活動等を紹介してきました。また教材開発では、社会包摂につながる芸術活動に関する基本的な考え方や評価の在り方について検討したハンドブックを作成するなどの事業を行ってきました。

これらの実践から、社会包摂につながる芸術活動の知見を社会資源化するとともに、芸術文化の関連分野からもアートマネジメント人材を輩出することを目指しました。

実践講座①

九州北部豪雨災害復興支援プロジェクト

黒川復興ガーデンとバイオアート
―英彦山《ひこさん》修験道《しゅげんどう》と禅に習う―

「復興の庭」でセルフビルドした東屋（2019年度）

2017年に発生した九州北部豪雨で被災された方々や環境に寄り添い、アート活動を通して復興に寄与することを目的とし、福岡県朝倉市黒川地区にある廃校を利用した「共星の里 黒川INN美術館」の野外スペースに復興ガーデンを制作しました。1年目は、一般公募による受講者とともに「復興の庭」を企画し、デザインしました。2年目は、被災地で創造的活動を行っている人物や団体を紹介する小冊子『かたり』も制作し、並行して「復興の庭」の植樹や東屋のセルフビルドを行い庭を完成させました。3年目は、完成した庭や被災地の歴史ある寺院において様々なアート活動を行い、その記録動画をオンラインで鑑賞する「喫茶アート養生会」を開催しました。

2017年7月、災害直後の共星の里。大量の流木や岩石が押し寄せた

共星の里で無観客上演した、庭園の庭を活かした「デジタル枯山水」（2020年度）

実践講座②

「演劇と社会包摂」制作実践講座

いろいろな楽器を鳴らしながら即興的に動く受講者たち（2019年度）

「演劇と社会包摂」に関わるアートマネジメントの担い手を育成することを目的とし、ワークショップやパフォーマンスを開催しました。1年目は、演劇作品の制作プロセスを体験することを通して、障害のある人とのコミュニケーションや、舞台制作の現場におけるケアなどを実践的に学ぶ場をつくりました。2年目は、日常的にケアやサポートが必要な俳優やダンサーとのワークショップやシンポジウムを通じ、表現活動を行う場のマネジメントについて知り、考える機会としました。3年目は、「日常の交換」をテーマとしオンラインワークショップを実施し、その経験を通じて、オンラインでの新たなパフォーマンス作品も誕生しました。

他者の言葉を身体の動きで表現するワークを体験（2018年度）

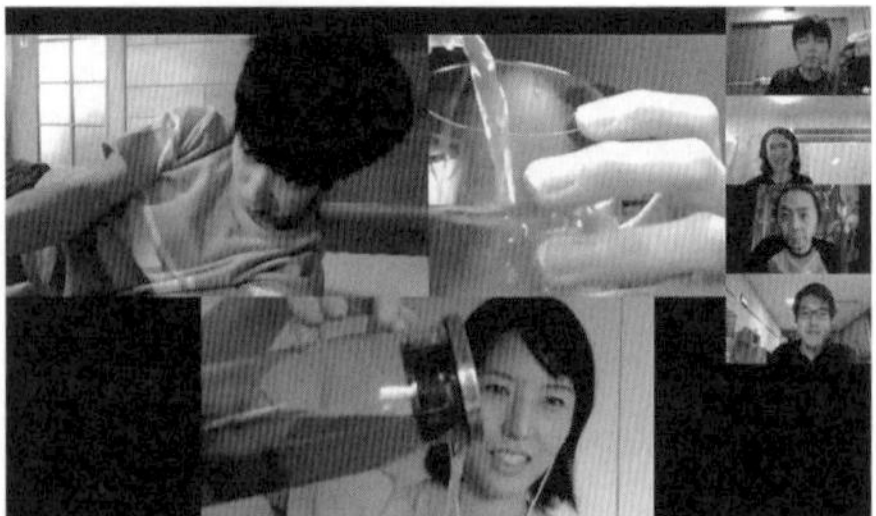

お茶をついで乾杯するという、日常の1コマをオンラインで再現（2020年度）

実践講座③

奥八女芸農プロジェクト

歌い手が棚田にのぼり、《八女茶山おどり》を体験する発表会（2020年度）

「半農半アート」をキーワードに、人と人、自然と人とがつながる持続的で豊かな暮らしの在り方を提起することを目指した講座を実施しました。合宿型講座「奥八女芸農学校」では、芸術家のワークショップを体験するとともに、農地に実際に足を踏み入れ、「アート」と「農」のつながりについて実践的に考える場をひらきました。2020年度はオンラインを中心とした講座を行い、地域の土や米などが自宅に届けられる実験的なカリキュラムを試みました。認定NPO法人山村塾の国際ワークキャンププログラムと協働した「奥八女芸農ワークキャンプ」では、地域リサーチや作品創作を行うアーティスト・イン・レジデンスを実施し、《八女茶山おどり》を創作しました。

有機農法で育てる米。雑草を見分けて抜く作業（2018年度）

豪雨により塞がれた棚田の水路を復旧する作業（2019年度）

公開講座

ダムタイプ《S/N》上映＆トークの様子（2019年度）

三つの実践講座とは異なる切り口から、「アートと社会包摂」に関する多様な事例に触れるための公開講座を、毎年開催しました。テーマは、国内外における障害者アートの実践、アウトサイダーアート、米国における元受刑者や低所得者が営む農園で行われる実践、HIV/AIDSの文脈から生まれた表現、団地再生、在日コリアンの音楽、公共ホールとアクセシビリティなどでした。芸術表現に関しても、絵画や立体作品、民族音楽、写真、舞台表現、アートプロジェクトやその評価の在り方など、様々な形態の事例を扱いました。「社会包摂」「アート」という概念が自分たちの日常と結び付いたものであるという気づきを生み出すことができました。

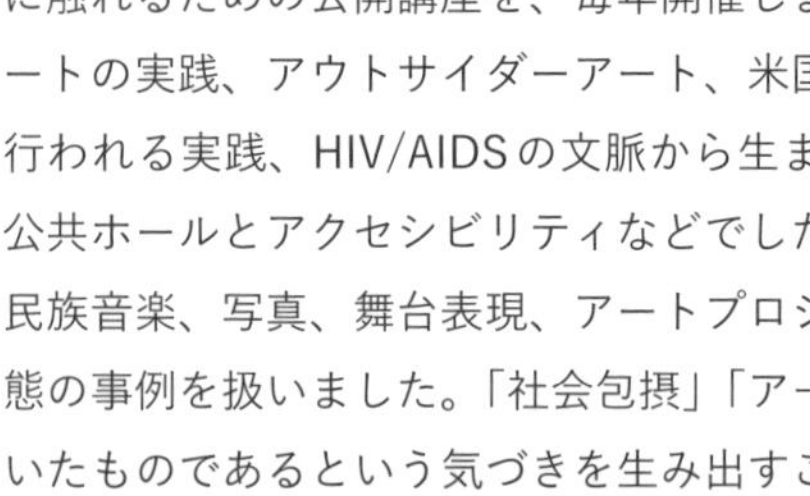

「障がい者アート」の可能性 in 香港／登壇者によるトーク（2018年度）

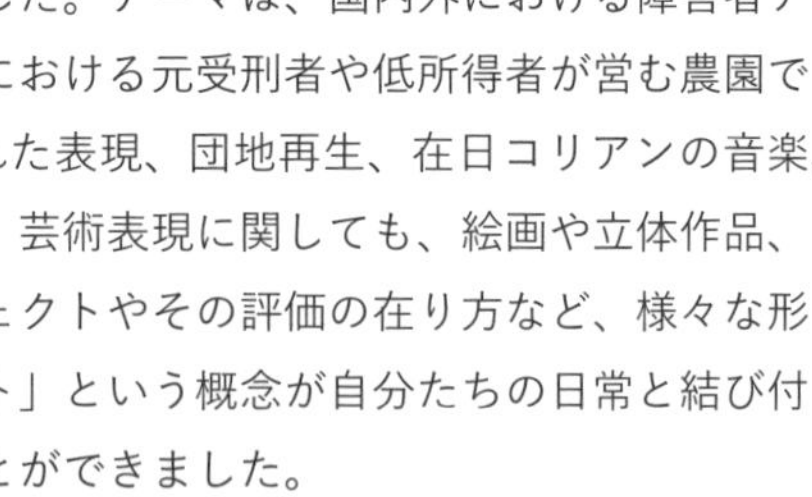

GARDEN PROJECT／作品展示と写真家の兼子裕代（2018年度）

教材開発

社会包摂につながる芸術活動に関するハンドブック（2018〜2020年度出版）

「社会包摂につながる芸術活動」に対する社会的な関心は高まっていますが、活動について知識を得たり学んだりするための資料は十分にありません。そのため、主に次の三つの調査研究活動を通し、教材開発を行いました。①社会包摂につながる芸術活動に関するハンドブックの制作（文化庁との共同研究事業。NPO法人ドネルモと協働）。②社会包摂につながる芸術活動に関するアートマネジメント人材育成プログラム検討会の実施。③各年度の活動成果や今後の課題について、関係者が一堂に会し議論する公開研究会の開催。それらに加えて2020年度は、3年間の実践講座を通して得られたアートマネジメントに関する知見をまとめた書籍を制作しました。

②の検討会の様子。SALメンバー全員で、議論を重ねた

③において、参加者、協働団体、SALメンバーが一緒に議論を行う様子

I

活動への扉をひらく

社会包摂につながる芸術活動とは何でしょう。
本章では、各々のきっかけで活動に出合った6名の語りを通して、
活動への扉を開きます。
彼らはアートの専門家ではありませんが、現場でいろいろな気づきを得ています。
また最後の論考では、社会包摂と芸術についての概念を整理しており、
活動の前提となる基本的な知識も学ぶことができます。

STORY

里村歩《さとむらあゆむ》さん
俳優

生まれつきの障害ではなく、原因不明で突然発症する。2014年より、俳優としての活動を開始。2016年の「身体的にバラエティあふれるひとたちの演劇公演『BUNNA』」以降、俳優として継続的に活動している。

「できるかな？」ではなく「やってやる！」

遠慮せずに車椅子を操縦できる安心感

僕は、認定NPO法人ニコちゃんの会が主催する演劇活動に2016年から関わり始めて、『BUNNA』『走れ！メロス。』という作品にそれぞれ出演しました。最初は、自分に自信を付けるためにこの活動を始めました。そして、演技をしていく中で、楽しさを知りました。日常でたまったストレスを発散する場にもなっています。

SALに関わるようになったのは、演出家の倉品淳子さんに誘われたことがきっかけだったと思います。2018年から実施された「〈演劇と社会包摂〉制作実践講座」に3年間講師として関わりました。

最も印象に残っているのは、エンちゃん（遠田誠）とのダンスです。中でも、2018年の〈演劇と社会包摂〉制作実践講座での門限ズとの活動でやった、エンちゃんとの即興ダンスが一番印象に残っています。あのときは確か自由時間だったので、ノムさん（野村誠）がピアノを弾いていて、エンちゃんともりっちさん（森裕生《ゆうき》）がダンスをしているときに、僕が入って行きました。最初は二人のダンスに入ろうか入るまいかという戸惑いがありました。ニコちゃんの会代表の森山淳子さんが「行けよ！」と言ってくれたから、あの場に入れたことを覚えています。

それ以来、毎年エンちゃんとのダンスをしていますが、エンちゃんとのダンスは楽しいです。遠慮せずに車椅子を操縦できる安心感があるからです。２０２０年には、リモートでのダンスにも取り組みました。これもとても良い経験になり、楽しかったです。また新しい世界が開けたかな、と思います。オンラインの可能性も知ることができました。対面でやるダンスと違って、エンちゃんは、僕がいる場所にはいません。でも、僕は戸惑うこともなく、難なくできていたと思います。その辺は、自分でもすごかったなと思います。

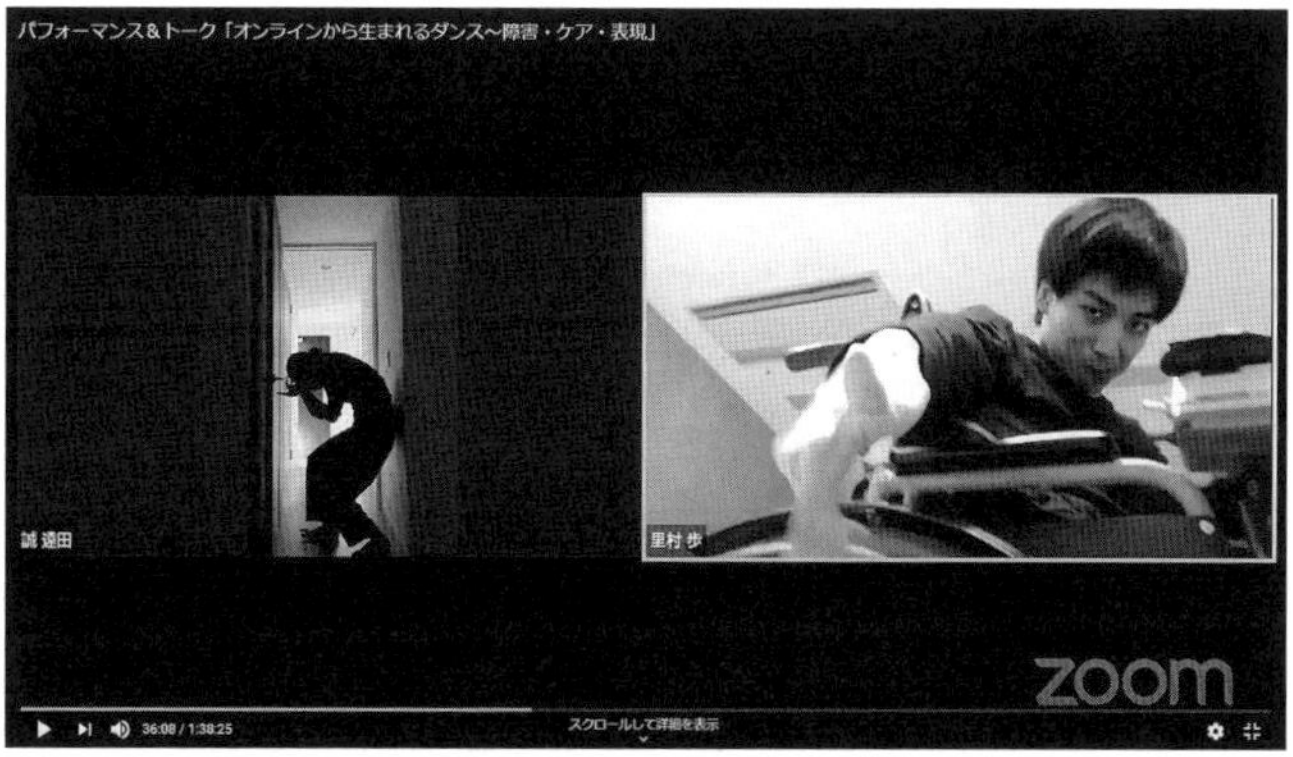

オンラインでエンちゃんとダンスをする里村さん（右）

僕が歩いたり立ったりしている姿を見せる

講座の中で受講者が僕の食事介助をしてくれたプログラムも印象に残っています。お昼ご飯をみんなで持参して食べるときに、代わる代わる介助をしてくれていたのですが、僕にとっては新鮮な感覚でした。こんなふうにいろんな人に介助をしてもらうことは初めてだったということもあり、受講者のペースに合わせる感じで食べていたように思います。

毎回、講座が終わったときには達成感を感じます。中でも一番大事にしているのは、自分で考える自己紹介です。この自己紹介は毎回、違うテーマでやっているつもりです。考える引き出しを与えてくれていることも、やりがいにつながっています。例えば、２０２０年の６月に実施された〈演劇と社会包摂〉制作実践講座で、僕は自分の身体のことについてオンライン講座ということを活かした自己紹介をしました。まず、分かりやすく伝えるために、リハビリの写真や動画を使用しました。僕が歩いたり立ったりしている姿を見るなんて、長く関わっている人でも初めての人もいたんじゃないかと思い、自分にとっても新鮮な体験でした。また、オンライン接続の配信元が自分の家ということもあり、いつも外出するときは車椅子に乗っているんですが、今回は寝転がって参加しました。結果、とてもリラックスして参加できました。自己紹介の発表のときは汗ダラダラでしたけど。自分でも、ほかの人にも、僕の知らない一面が見られた自己紹介だったと思います。

〈演劇と社会包摂〉制作実践講座でのグループワークの様子

頭で失敗を考えず、図太くやる真っ最中

こうした活動に参加することで意識の変化もありました。それは、前向きに活動に取り組めるようになったことです。あまり頭で失敗を考えず、図太くやるようにしている真っ最中です。ポジティブ思考ですね。それが、自分はやれるんだという自信にもつながっています。例えば、２０１８

『走れ！メロス。』(2018) のワンシーン

年にSALの皆さんにも関わっていただいた演劇公演『走れ！メロス。』で「ショート・ストーリーズ」として作ったシーンが印象に残っています。役者みんなで自分の経験を持ち寄って作るシーンなんですが、僕はこのシーンがとても好きです。僕が奇声を上げまくるシーンで、毎回、面白いものができていたと思います。僕はこのときは無我夢中でやっていました。もっと自分に自信を持つようになれば、自分の求める演技ができるのではと思っています。

今後、取り組んでみたい表現は、〈演劇と社会包摂〉制作実践講座でもご一緒した、ニコちゃんの会の演劇でも俳優として活躍するけいくん（廣田渓）のピアノの弾き語りに合わせたダンスです。あの弾き語りで、僕がダンスをやったらと思うと、絶対面白そう！　と、とてもワクワクしています。

これからも、演劇での自分の自信を継続していきたいです。「できるかな!?」ではなく、「やってやる！」という意識を持って取り組んでいる最中です。

構成＝長津結一郎

STORY

川上《かわかみ》里《り》以《い》菜《な》さん
九州大学芸術工学部音響設計学科卒

2017年九州大学芸術工学部音響設計学科入学。上田研究室に所属し、劣化音声に係る聴覚心理の研究を行った。大学入学時より「九州大学ピア・サポーター」として活動し、主に学内バリアフリーマップの制作を担当する。2018年度に実施された「〈演劇と社会包摂〉制作実践講座」に受講者で参加したことをきっかけに、SALの活動に興味を持つ。

支援はコミュニケーション

誰かと出会うことの重要性

私は大学に入学したときから障害者支援に興味があり、SALに関わる前は、九州大学コミュニケーション・バリアフリー支援室（現・インクルージョン支援推進室）でピア・サポーター学生として活動していました。主な活動内容としては、キャンパスのバリアフリーマップの作成、設備改善案の作成、ノートテイク*1の練習や、障害者支援方法の学習などです。その頃はまだ大学1年生で、あまり具体的な問題意識はありませんでした。また、ピア・サポーターの中には電動車椅子を使用する学生や、補聴器を装用していた学生はいましたが、それ以外の支援対象者に会ったことはありませんでした。

2年生になって、私が所属している芸術工学部音響設計学科にも社会学的な観点から芸術に取り組んでいる先生がいることを知りました。そこで先生に教えていただいたのがSALの活動の一つ、「〈演劇と社会包摂〉制作実践講座」でした。それまで演劇は鑑賞するくらいで、実際に自分の身体で触れたことはなかったため、その講座は非常に目新しく見えたことを覚えています。また、それまで実際に支援対象となる人にあまり出会ってこなかった自分にとっては、誰かと出会うことがとても重要に思えて、すぐに講座に申し込みました。

行動を起こす力

ＳＡＬに関わることで、自分の中の考えに変化がありました。それまでは実際の支援対象者に出会っていなかったことから、支援をするときも全て自分の中で完結していましたが、〈演劇と社会包摂〉制作実践講座に参加してからは、支援はコミュニケーションであること、一人で完結する支援はあり得ないことが分かってきました。

実際に、障害のある役者さんの着替えを手伝うことがありました。それはいわゆる直接支援になるのですが、何も知らない私が勝手に物事を進めるわけにはいきません。役者さんとの信頼関係もない段階で着替えを手伝うことは私にはできず、自分が不甲斐なく感じました。そこからは、積極的に自己紹介をしたり、挨拶をしたり、コミュニケーションを取ることに集中するようになりました。そうすることで、着替えの手伝いをするときも、相手の目を見て、手伝うべきことを相談でき、お互いにスムーズな支援ができたと感じます。支援というのは、必ずしも支援者と支援

演劇公演『走れ！メロス。』(2018) の字幕投影は、舞台に溶け込む形で行った

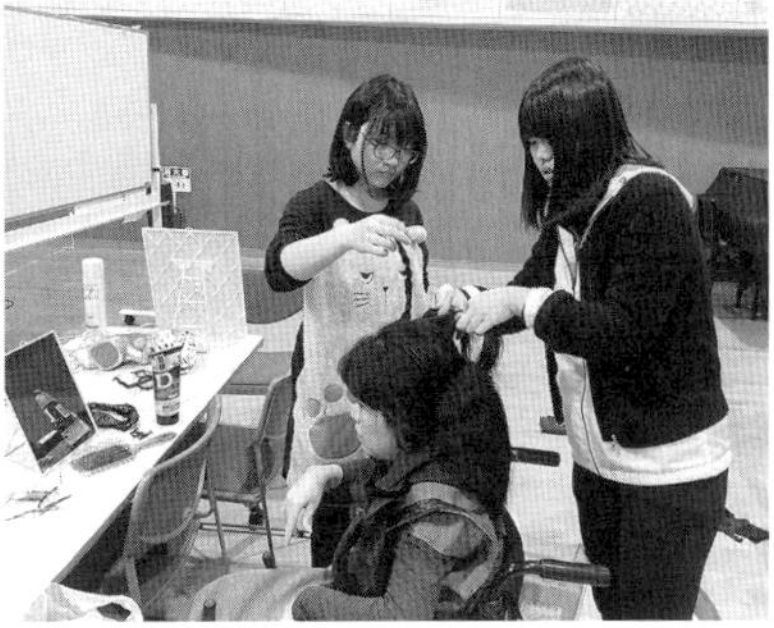

〈演劇と社会包摂〉制作実践講座でインターンシップをする川上さん (左)

対象者、という関係性だけで成り立っているわけではなく、その間には信頼関係や、コミュニティがあることを知りました。

その後は、それまで行っていたバリアフリーマップの制作などでも、見た人や使う人の意見を積極的に聞いて取り入れるようになりました。使い心地も向上して、今後さらにレベルアップしていけたら、と考えています。

また、SALの活動には、アートと名の付く講座が多くあり、それらの講座にもUDトーク[＊2]修正補助スタッフとして関わってきました。特に印象に残っている活動は『地蔵とリビドー』上映＆トークセッションと、「アートで豊かになる団地」の二つの公開講座です。『地蔵とリビドー』では、障害者施設ゆえにアートを生み出すのではなく、施設で過ごしている中で生まれたものが結果的にアートだった、と考えさせられました。「アートで豊かになる団地」では、過疎化していた団地がアートを通じて人と人とのつながりをつくっていくことが挙げられていました。

公開講座「アートで豊かになる団地」での情報保障の様子

このような講座に参加するうちに、私の中の「アート」に対する考えがつくられていきました。SALに関わる以前は特に関心もなく、「アート＝絵画」という漠然としたイメージでした。ですが、関わってきた今では、アートは絵画や彫刻など種類分けをするものではなく、特別な力を持った、人が生み出す「作品」だと考えるようになりました。音楽でも絵でも彫像でもどれをとっても、人の気持ちを動かしたり、行動を起こす力があるものだと感じます。

他人ごとではないと受け取る

　卒業後、私は社会に出て、働き始めましたが、SALの活動がこれからも活かせるとしたら、情報保障の知識が挙げられます。最近ではオンラインでもUDトークを使用することもあり、UDトークをどう活用するかさらに技術的な面での向上を図っています。

　また、社会包摂に対する意識を獲得したことも良かった点です。社会の中には、生きづらさを感じている人もいて、マイノリティもマジョリティも、お互い歩み寄って社会を形成していけたらいいなと思います。ですが、本当に社会包摂ができるのか、と言われると、難しいと感じます。実際にどこがマジョリティで、どう生きづらさを与えていて、どう行動を起こしたらいいのか。この三つが具体的に分かっている人はきっと少ないと感じます。じゃあ、社会包摂はできないんじゃないか、と思っていたのですが、SALに関わって分かったことは、ここで根っこから「できない」と思うのではなく、言い続けていくことが大事だということです。

　近年、マイノリティの生きづらさが社会問題として挙げられることも多く見受けられるようになりました。そんなときに、SALの講座などで見聞きした事柄が思い浮かんでくることは、自分にとって大学生活を通して感じた大きな変化でした。今後も、日常生活で出合う社会問題に対して、他人ごとではないと受け取ることができるように思います。

　大学生活だけでは知り得なかったことを知ることができたこと。それこそが、SALの活動においてもっとも自分が嬉しく感じたことです。

構成＝長津結一郎

1　筆記通訳。聴覚障害のある学生の耳の代わりをして、授業の話の要点を筆記等で伝える。

2　音声を認識してリアルタイムで文字化するアプリケーションソフトウェア。修正補助スタッフは、文字化した内容を、必要に応じて同時に修正していく役割を果たす。

STORY

ファン ポウェイさん

認定NPO法人山村塾スタッフ

台湾出身。生き物が好きで、生物学を大学で学ぶ。卒業後、多様な生態系を守るために環境設計の仕事に就き、その後、日本の大学院に進学。里山保全団体の認定NPO法人山村塾での勤務を始めてからSALと関わるようになり、「奥八女芸農プロジェクト」への参加が始まった。最近は自分に余裕がないと考え、文化も生態も豊かな里山で、自分の考え方やライフスタイルをバランスよく整えようと頑張っている。

空間の声を聴く

現代人が含まれる生態系システムへの関心

SALと出合ったのは2017年の「奥八女芸農学校」でした。指導教員の朝廣和夫先生の紹介で、台湾からのアーティストの通訳として2泊3日の活動に参加しました。また、2018年から始まった「奥八女芸農プロジェクト」でも共催団体のスタッフとして参加しました。主な役目は、「奥八女芸農ワークキャンプ」のコーディネーターと、奥八女芸農学校の運営サポーターでした。

2017年当時は修士課程として朝廣研究室に所属し、里山の環境とそこで生息している生き物の研究を行っていました。人間は古くから生きるために、畑を開き、食料の栽培を行い、農業生態系を形成しました。その生態系の中の、人間、環境、生き物の関わりは極めて密接です。しかし、近代のライフスタイルの変化とともに、環境にも大きな変化が生じています。人間社会が変化することに応じて、農業生態系システムの機能が薄れ、規模が縮小し、崩れていく恐れが出てきているのです。

農業生態系のこれからについて、現代人が含まれる生態系システムなどのトピックに私は関心を持っていました。

台湾で環境コンサルティングに関する仕事をしていた際に、「藝術介入（art intervention）」という言葉で盛り上がったことがありました。アーティスト・イン・レジデンス、パブリックアート、パフォーマンスアートなどが媒介することで地域の問題が発見され、参加者どうしの会話が生まれていました。日本の「大地の芸術祭」やフランスの「白夜祭」などのアートフェスティバルが先進事例として扱われ、立場や観点、表現方法の違いで対話ができないことに対して、アートの手法で共有することに素晴らしさを感じました。私はこのような「藝術介入」の経験を踏まえ、人と人の理解を深めるための芸術に興味を持っていたので、SALが唱える「社会包摂×文化芸術」に関心を持ちました。ですが、まだ自分とアートとの関係は、はるかに遠いと感じていて、アートフェスに参加したり、美術館へ行ったりすることでしか芸術との関わりがないと思っていたのです。

棚田保全の様子を受講者に説明するファンさん（中央）

地域との接し方によって、違う模様が表される

自分は、外国人として、社会的マイノリティと言えるかもしれませんが、マジョリティから尊重される立場であることを感じます。たまに、社会包摂という言葉は「差別しない」「共感する」というよりも、相手と一緒に悩む、という方が近いと考えています。相手の意見を聞き、理解し、話し合い、解決策を出す、というところまでしないと、本当の包摂はできないかもしれません。ただし、ほとんどのコミュニケーションは、理解できてもできなくても途中で

終わりにさせられてしまいます。ＬＧＢＴｓや障害者など社会的マイノリティに対し、バリアフリーの社会を目指すことが大切というのは、現代社会にいる私たちは何となく理解しています。しかし、そういう意識を持っていない土地、環境、文化に対して、どのような認識を持って向き合うのが妥当でしょうか？

実際、最初に奥八女芸農プロジェクトに参加したときには、誰を包摂するのかはっきりと理解できていませんでした。実際に４年間関わって、自分は、社会や人のことを包摂するのではなく、時代を、山村を含めた全ての営みを包摂すること、と勝手に解釈しました。そして、山村の住民としては、自分包摂されることを待つより、妥当な包摂がきっかけをつくり、包摂の仕方を社会に打ち出す方が有効かもしれないと考えています。

2018年度のプロジェクトでは、旭座人形芝居保存会の皆さんと交流した

ＳＡＬのワークショップでは、思いを共有するいくつかの方法を体験しました。人の感情・考えを表す方法はいろいろあります。歌で思いを伝える、踊りで交流を誘う、料理で環境を紹介する。しかし今の時代、人と人の交流は言葉のみで済ませることが多く、それ以外の表現は積極的にされていないと思います。ですが人の背景や使う言語や、価値観によっては、言葉だけで伝えられないこともあります。たとえアート創作が目的ではなくても、多様な交流の方法を使えば、思いがもっと共有できるかもしれません。まじめなインタビューで出た話、酔っぱらった飲み会で出た話、散歩で気づいたこと、畑でのワーク体験で会った生き物など、地域との接し方によって、違う模様が表されます。

今のライフスタイルと合わせて文化を引き継ぐ

SALの活動に参加することで、地域住民のライフスタイルや、目に見えない文化や歴史の重さをより深く理解することができました。例えば、アーティスト・イン・レジデンスの事業では、アーティストとボランティアが一緒に活動し、地域の民謡『八女茶山唄』からの発想で、昔からの生業で編んだ人と人のつながりを踊りで継ぎました。文化のアーカイブは、ドキュメントとして博物館で保存するよりも、今のライフスタイルと合わせて、文化の核にあるものを見極め、引き継ぐのが有意義だと思います。

これからも地域の活性化、環境保全の分野で働いていこうと思います。

笠原で過ごした時間を身体表現にするワークショップの様子

地域の活性化には、外からの資源を持ち込むことにより、既に根づいた生活文化を掘り下げ、アートの手法で新たな価値を付けることが求められると思います。環境保全のようなプロジェクトでは、その対象は人間ではないこともあります。SALから学んだ、空間の声を聴くワークショップのように、利用者とその土地とのつながりができるようにしたいです。

SALでは、参加者との交流をしながら、自分自身を振り返り、内面を探ることができたように思います。フィールドの景色を眺めながら自分の記憶を映し出すこと。日々の仕事や感情を意識することで変化がどう起こるかを、実践しながら考えていきたいです。

構成＝長津結一郎

STORY

白水祐樹《しろみずゆうき》さん

SALテクニカルスタッフ（2018～2020年度）

福岡県朝倉市出身。大学生時代は文学部で日本文学を学ぶ。大学病院の事務職を経て、2011年から国立の「青少年自然の家」においてキャンプ指導やイベント企画を行う傍ら、文学セミナー（夏目漱石、俳句など）の講師も行う。ラジオ番組のコーナーでSALのことを知り、2017年2月に実施されたイベントに参加。その約1年後、再びSAL主催のイベントに参加した際に、スタッフとして勧誘され、SALスタッフに。「九州北部豪雨災害復興支援プロジェクト」を担当した。

関わり、つながり、共創するプロセス

故郷の復興のために

「自然の家」では、主に幼児や小中高生などを対象に、自然への親しみや畏敬の念を持ってもらいたいという思いを持ち、森の散策やアウトドア料理などの活動を行う仕事をしてきました。その中で、例えば杉材の表札やコースターづくりなど創作活動も行っていましたが、創作やアートはいろいろある要素の一つであり、優先順位の低い脇役といった印象だったので、さほど意識することもない存在でした。

ＳＡＬ主催のイベントに参加し知足美加子先生と知り合ったことで、復興支援プロジェクトのスタッフとして誘っていただきました。当時は、２０１７年７月５日に起きた九州北部豪雨災害から約８カ月後というタイミングでもあり、朝倉出身者として故郷の復興のために何かしたいという思いもあったので、喜んで引き受けました。２０１８年度からスタッフとして関わり、主な業務は事務手続き、関係者との連絡・調整、広報、イベント運営、報告書作成などでした。イベントの内容構成やプロジェクトの進め方など、私の意見が反映される部分もあり、やり甲斐を持って業務を担いました。

前例にとらわれず、人と人とをつなぐ

大学病院事務や自然の家の仕事では、多くの場合が、規則や慣例によってあらかじめ決められている業務を、マニュアル通りにこなすというスタイルでした。よって、私が業務改善の必要性を訴えたり、前例のない企画内容を提案したりしても、上司や同僚からは難色を示されていました。一方で、SALの仕事で関わる芸術家や音楽家といった人たちは、常に「前例のないことをやるのが当たり前」というスタンスだったので、私が今まで関わってきた人たちとは人種が違うという印象を受けました。業務運営の仕方一つとっても、芸術家と非芸術家との「世界の隔たり」のようなものを感じました。

アートに対しても、SALに関わるまでは「一部の愛好家のためのもの」「自分には、あまり関係のないもの」という印象を持っていました。しかし、復興支援プロジェクトに携わったことで、その印象は大きく変わりました。「庭園づくり」や「庭園を生かしたアートパフォーマンス」を通して、被災地域内外の様々な人たちの交流が生まれるのを目の当たりにし、アートが人と人をつなぐ可能性を持っていることに気づきました。

また、以前は「アート＝非凡な才能を持つ個人や少数の人が作った完成品」「非芸術家＝完成品を鑑賞する側の人」という印象を持っていましたが、黒川《くろがわ》復興ガーデンづくりの活動を通して、作り上げるまでのプロセスにアートの非専門家も参加することができるし、そのような共創活動は、少数の専門家だけで立派なモノを作ることとはまた違った価値があると気づきました。

「社会包摂」という言葉についても、SALのスタッフになるまでは存在すら知りませんでした。また、スタッフとして働き始めてからも、しばらくは「社会包摂」が何なのか、よく理解できてい

ないままでした。スタッフとなって半年ほどが経ち、黒川復興ガーデンづくりの講座運営を2回、3回と重ねた頃に、ようやく分かってきた感じでした。講座でディスカッションを行った際、元々は被災地域に縁もゆかりもない受講者たちが、「被災地の方々に癒しや希望を与えられる庭園を作るには、どうすればよいか」を真剣に考えて語り合っていました。私は、その姿を見て「ああ、これが社会包摂なんだな」と思いました。そして、「社会包摂＝それまでつながりがなく分断されていた人と人が、つながること」という定義が固まっていきました。その頃から、自分の携わっている「アートと社会包摂」というプロジェクトの意味や方向性を理解した上で、仕事ができるようになったと思います。

　復興支援プロジェクトでは、豪雨被災地である朝倉市の山間部の住民の方々と、そこから約50キロ離れた福岡市の大学生たちとの交流が生まれました。これは、アートがなければ、おそらく出会うこともなかった者どうしの、生まれることのなかった交流だと思います。アートには、このようなつながりを生み出す力があるということを、「アートは自分にはあまり関係ない存在」と先入観を持つ、以前の私のような人たちに、ぜひ知っていただきたいと思います。

公開ディスカッションにて。左から白水さん、共星の里黒川INN美術館の柳和暢さんと尾藤悦子さん

アート的な発想と実践の積み重ね

　SALスタッフとしての勤務と並行して自然の家でも働く中で、「こういう場面で、アート的な要素を取り入れると面白いのでは?」という発想を持つようになりました。ただ、アート的な要素を、実際に業務に取り入れて使いこなすレベルに

は、まだ至っていません。実際に使いこなせるレベルに至るには、いろいろと試行錯誤をする中で「あれはうまく行かなかったが、これはうまく行った！」という、失敗体験と成功体験を経ていく必要があるでしょう。理論や手法を知るということの次にある、現場で実践を重ねていくことが、よりハードルの高い段階なのだと思います。実践経験を積むためにも、２０２０年度の復興支援プロジェクトにおいて、知足先生の発案により実施した「連句会」が非常に面白かったので、まずはこれを私の俳句仲間たちと一緒にやってみたいと考えています。

私には、妻と一緒に夫婦でキャンプ場を作りたいという、ライフワーク的な夢があります。ＳＡＬの活動を通して得た経験を、その夢の実現にも活かしていきたいと思っています。黒川復興ガーデンづくりのときのように、作り上げていくプロセスにおいて様々な人に関わってもらうということは、ぜひ取り入れたい手法です。

構成＝村谷つかさ

上）共星の里の庭園づくりで、被災木を活かした東屋セルフビルドを行った
下）復興支援小冊子制作のため各地で現地取材を重ねた（2019年度）

STORY

眞﨑一美《まさきひとみ》さん

SALテクニカルスタッフ（2019～2020年度）

九州造形短期大学（現・九州産業大学造形短期大学部）を卒業後、舞台技術の会社で公共ホールの舞台管理や美術スタッフとして勤務。2011年に公共ホールの事業担当者となり、社会包摂につながる事業に関心を持つようになる。SALでは「〈演劇と社会包摂〉制作実践講座」を担当した。

手がかりは丁寧な対話から

アートと人が関わるミクロな活動を探して

私は、福岡市の公共ホールの管理運営や舞台技術者の派遣を行っている会社に長年勤めていました。２０１１年の人事異動で、ある公立文化施設の管理運営と自主事業の担当になり、施設利用満足度や施設認知度の向上に努めました。また、管理運営を行う上で必要な知識を得るために、公益社団法人全国公立文化施設協会などの研修会や、大学の講座を受講しました。２０１２年に「劇場、音楽堂等の活性化に関する法律」が施行され、研修会では芸術文化の社会的な役割や公立文化施設の役割、地域課題、社会包摂についてディスカッションをすることが増えました。

しかし、それらを実践していくために何をどうやればいいのか全く分からずに悩みました。芸術文化活動が盛んな福岡市に、芸術文化が関わることができる地域課題があるのか。管理運営を任されている自分たちの施設が地域でどのような役割を果たしていくのか。国の方針、市の方針、施設の方針、自分の思い……。折り合いを付けようとすればするほど矛盾が生まれました。こうした状況の中で、設定した自主事業を業務の一つとして進める施設の在り方に違和感を持っていました。

芸術文化を経済効果として位置づけている福岡市と、それに準じながら事業を進める施設の方針の中では、意味のあるアートプロジェクトを行うことは難しいなと次第に私は思うようになりました。いろいろな形のアートプロジェクトが行われていますが、アートと人がミクロな形で関わることができる地道な活動ができなければ、文化施設がアートの力を社会に還元することはできないし、見かけだけ

ブブ・ド・ラ・マドレーヌさん（ステージ中央）が登壇した公開講座

〈演劇と社会包摂〉制作実践講座で実施したフォーラム

のプロジェクトを実施することになってしまうと感じ始めたのです。

そんなとき、認定ＮＰＯ法人ニコちゃんの会が主催した演劇公演『ＢＵＮＮＡ』を観て、心に大きな衝撃を受けました。そしてその現場に関わり、いろいろな形でアウトプットしているＳＡＬの活動に関心を持ちました。自分の事業で覚えた違和感は何なのか、アートと人の関わりとは何なのか、その仕組みはどうやってつくられているのか。ＳＡＬと関わればヒントや答えが見つかるかも知れないと思いました。そうして、ＳＡＬで２０１９年度からテクニカルスタッフとして、「〈演劇と社会包摂〉制作実践講座」と、公開講座で実施した《Ｓ／Ｎ》の上映会の制作に関わりました。

対話を省かず丁寧に進めること

SALの活動において印象的だったことは、別々の時間に、別々の場所で、別々の人から同じことを聞いたことです。「アート活動を共有するためには時間をかけて話し合うこと。対話を繰り返し人としてお互いを知ることが大事で、それには時間がかかる。だからアート活動には時間がかかるけど、それを省いてしまったらいいものはできない」。このことは、倉品淳子さん、森田かずよさん、ブブ・ド・ラ・マドレーヌさんがそれぞれ話されていたことです。それらの言葉は、アートの力が発揮される源を教えてくれたように思いました。人との関わりを一つひとつ丁寧に対応し紡いでいくことはとても大変なことで、つい自分のペースで進めようとしてしまいますが、そこを省いてはいけないと釘を刺されたように思いました。

スタッフミーティングで対話を重ねる。左から2人目が眞﨑さん

そして働いていて驚いたことは、ほとんどの話し合いや打ち合わせが、対話型で行われているということです。さらに、分からないことやモノゴトを整理するときには、ブレインストーミングをやってみて、手がかりを見つけているということでした。私の周囲ではそのようにプロジェクト会議を進めていると聞いたことはありませんでした。しかし、いろいろな人とこの対話の積み重ねが行われて、プロジェクトがいい方向へ動き始めることから、これがアートプロジェクトを進める上で大事な対話の時間に当たるのだと思いました。私が文化施設の事業を進めるために行っていた話し合いは、対話が足りなかったから、人によって関わり方に温度差があって、違和感もあって、仕組みづくりが迷走していたのだと思いました。

国の方針、市の方針、施設の方針、自分の思いを鑑みながら、意義のある事業を継続して進めることは、本当に難しいと思います。言葉や体験で理解を得ようとしても、それより先に優先されることが揺るがないからです。芸術文化活動が盛んな福岡市にも地域課題や社会課題があります。それらと芸術文化がどう関われるのか、管理運営を任されている自分たちの施設が地域でどのような役割を果たしていくのかを考えるときに、人と人とがどう関われるか対話を重ねて考えていくと、手がかりが見つかるだろうと思えるようになりました。

人の心に作用し、何かしらの変化をもたらすアート

私はこれまで、「アート」が何なのか、「アートの力」について何と説明すればいいのか、言葉を持ち合わせていませんでした。しかし、ＳＡＬと関わるようになって、私なりの言葉を見つけることができました。

アートは、人そのものだと思います。人そのものだから欠かせないもので、人と人の感情を直感的につなぐことができる、またその場にいる人へ影響を与え、巻き込むことができる、そんな力をアートは持っていると思います。これが正解かどうかは分かりませんが、間違ってはいないと思います。なぜならＳＡＬのどのプロジェクトを見ても、アートが人の心に作用し、何かしらの変化をもたらしているという事実を見て取ることができるからです。

意味があることもないことも、全てのアートが人に作用するように思っています。これからも自由な発想で、楽しく面白いと思える方法で、アートを社会に還元していきたいと思います。今後は、意味はないけど面白いと思えることを私自身からも発信して、何が起こるか見てみたいところです。

構成＝長津結一郎

STORY

藤岡希美《ふじおかのぞみ》さん
行政書士

不登校児童生徒、引きこもり、LGBTsを含む社会的少数者、障害者、高齢者、外国人等の方々に関わってきた経験を持つ。著作権法と情報法を専門とする傍ら、音楽と絵本の活動も不定期に行う。社会的少数者に関し、「当事者不在」と「人間の尊厳」を問題意識として持ち活動する中で、2018年度にSAL主催の公開ディスカッションに参加したことを機に、SALが行う複数の活動に関わるようになる。

言葉、体感、再生
—私の居場所をつくる

境界の崩壊による全体性の回復を体験

私が関わってきた方々に共通する社会の課題は、多様性、包括性、公平性などの概念の理念とは相反する「生きづらさ」です。この生きづらさの底には、「当事者不在」の問題があります。社会において声を挙げることが難しい当事者が、不均衡な権力関係の中で、自己決定権を奪われたまま、一方的に社会における在り方を決められるという問題です。これには、固有の存在であるはずの当事者が、ステレオタイプな当事者像に押し込められて扱われることにより、支援者から二次加害を受ける場合や善意や混乱から生じる対立の場合も含まれます。

また、私は「人間の尊厳」にも関心を持っています。社会では様々な正義が衝突するので、人間の多様な固有性（潜在的な能力も含む）を認め、異なる正義を矛盾させず、共に存在することは困難です。この困難を乗り越えるためには、お互いに理解し合えないことを前提として、個々人のパンドラの箱を無理に開くことなく、社会そのものが多様な人間の在り方を包摂する必要があります。社会包摂と呼べるこのような状態は、単なる理想像として捉えられがちですが、私は、具象と抽象の「差分・交差・統合」などを通し、社会に対して具体的に働きかけられる方法を模索しています。

前述の問題意識及び関心を持って活動を行う中で参加したSALのイベントにおいて、知足美加子先生の言葉を聞いたとき、私は、霧が晴れたような感覚を覚えました。その感覚は、言葉によりその言葉の意味を失うのではなく、言葉によりイメージが直接的に浮かぶというものでした。この出会いを機に、私は、黒川《くろがわ》復興ガーデンづくりに受講者として参加しました。「鎮魂と命の再生」と「関わり続ける人の輪づくり」をテーマとしたこのワークショップでは、自然が時間をかけて、新たな自然を形成するという過程を経験できました。

特に椿の苗木をほかの参加者とともに植えるような素朴な関わりは、他者と私との間に共通項を生み出し、お互いが持つ平等と不平等の境界線を曖昧にし、私自身の言葉を取り戻すきっかけとなりました。これは、自然と人工物との境界の崩壊による全体性の回復を体感することでもあり、初めて自分に居場所ができたように感じました。

「信頼」や「愛」に基づく居場所

SALの活動に関わる前は、私にはどこにも居

椿の苗木を手に、思いを語る藤岡さん（右から３人目）

黒川復興ガーデンづくりでの植樹作業の様子

場所がないと感じていました。どの活動でも言えることですが、協働は、多様な考えを持つ人との協力関係に依存します。ゆえに、矛盾が生じることを前提とし、どのようなバランスで関係を築いていくかが重要となります。つまり協働という言葉とは裏腹に、乖離《かいり》していく関係性を保つには、それぞれが対等の関係を、何かしらのかたちでつくりあげる必要があります。おそらく、その「何かしら」は、曖昧な概念ではありますが、信頼や愛というようなものに行き着くのだと思います。そして、その曖昧な関係全体を、人間が認識できるかたちで包み込むことができるものこそ、文化に基づくアートであると考えています。

アートは、「自分はここにいる」と自己認識するための一つの道具と言えるでしょう。また、このような曖昧で不完全なものの力を利用するからこそ、解決（安定）するために、アートによって新たなものが生まれるのだと思います。

さらに、SALの活動を通して、アートは内面的な過程（内心の自由）と外面的な過程（表現の自由）という性質を持つことで、その内と外のバランスを崩すことなく、自らとの再会を保障するものであると改めて認識しました。

アートとは本来、自然への畏れ敬う気持ち、つまり人としての理解を超えたものであり、よく分からない部分に対して揺れ動いたこころの情景を描き出したものではないかと思います。アートには多様性があり、その多様性が感じ方の入口を広め、偶然性の出会いや協働へとつながる連続性を生み出します。同時にアートは、安全かつ安心してこころを揺らすこと、つまり想像し、創造して、創作と表現ができる場を醸成し、こころをつなぐ媒介のような存在でもあると考えています。

他者と共有する際に、具体的なものごとを抽象化する言葉という道具は便利なものです。しかし、その抽象化された言葉を、本来の具体的な言葉の意味に還元することは難しいことです。この還元の方法（表現、あるいは文化の様式）を横軸と置き、方法の選択（文化の獲得・生成）を縦軸と置いたとき、その交点をいかにつくれるかということが、私は重要であると考えています。

「文化の束」の再形成

私がSALの活動を通して得たことは、大きく二つあります。まず、様々な人との出会いです。次に、やり直しを含めた再生です。出会いは、他者を知ることであり、他者を通じて自らと再会することを意味します。自らと再会することにより、社会の課題を「じぶんごと」とすることで深くコミットし、自分のこころの中に住む他者を含む人とのつながりをつくります。やり直しを含む再生は、出会いを可能とする精神的、時間的な居場所をつくることです。例えるならば、自己保存の意味を含め、安心して、自らの生である「花」を咲かせることができるよう、長い年月の中で複雑に絡み合ったツタや薮化《やぶか》した自然を、時間をかけて丁寧にほぐし、土壌からつくり直すことと言えます。これは、自らを含めた存在の新しい生の価値を再認識することです。

これらのことを通して横軸と縦軸から生み出される日常に視点を合わせたときに、私は、問題の底にあるもの自体もまた「文化」によってつくられているものであると気づきました。ある意味で生きづらさを生み出す差別も、この文化が束になり、絡み合うことによって生み出されたものです。そうであれば、その絡み合った文化の束を文化によって一度丁寧にほぐして、改めて、文化によってつくり直せばよいのではないでしょうか。

文化は時間をかけて形成されます。それは、その時々に生きる人々の意識の総体である社会の影響を受けます。私は、人間の在り方を、ソーシャルアートを通してこの社会に問い直すことは、一人ひとりが固有の「私の居場所」をつくる具体的かつ実行可能な実践であると、自ら体験した上で確信しています。

構成＝村谷つかさ

社会包摂につながる芸術とは

中村美亜（芸術社会学）

はじめに

社会包摂とは、社会的に弱い立場にいる人たちを排除するのではなく、包摂する社会を築いていこうという考え方だ。しかしこの意味を知ったとしても、社会包摂と芸術を結び付けることは容易ではない。本稿では、芸術や文化の意味、社会包摂の意味を深く理解することから両者を結び付ける具体的な手立てを探っていく。

なお、本稿の記述は、文化庁×九州大学 共同研究チーム編『文化事業の評価ハンドブック――新たな価値を社会にひらく』（水曜社、2021）及び、その基となった『はじめての〝社会包摂×文化芸術〟ハンドブック』（2019）に掲載された「社会包摂につながる芸術とは」の章の初期稿を改変したものである。

芸術に対する二つの見方

今日、私たちは芸術に対して二つの見方を持っている。一つは、プロの芸術家や芸術大学と関わりの深いモノとしての芸術という見方、もう一つは、アートプロジェクトや障害者芸術に代表されるコトとしての芸術という見方だ。これら二つは相容れないものではないが、強調点が大きく異なっている。

一つ目の芸術に対する見方は、専門的な技能を身に付け、類稀《たぐいまれ》なる才能を持った天才が、社会から隔絶したところで内面的な葛藤を経て、渾身の作品を作り出すというものだ。芸術家の技芸や生き様が作品に結晶化されることに主眼が置かれているので、モノとしての芸術と呼ぶことにしよう。

しかし芸術はプロの芸術家だけのものではない。芸術は私たちの周りにある素材を用いて、様々な工夫をしながら生み出すものだ。芸術が指し示すのは、その最終形となる作品だけでもない。もちろん、作品は大切だが、その作品が生み出されるまでには、様々な人との関わりや試行錯誤のプロセスがある。また、作品が出来上がったとしても、それを鑑賞してもらうためには工夫が必要だ。このように全ての人たちに開かれていて、かつ、作品だけでなくプロセスも重視する芸術の在り方をコトとしての芸術と呼ぶことにしよう。

「芸術」と呼ばれたかどうかはともかく、創造的な表現活動には長い歴史があるが、モノとしての芸術が強調されるようになったのは、比較的最近だ。日本でもヨーロッパでも、もともと芸術は、仏教やキリスト教など宗教的儀式で使われていた。民芸や工芸、祭りの音楽や仕事歌などは、ずっと生活の中に存在した。芸術は生きるためのものだったのだ。ところが、ヨーロッパで教会や王侯貴族の権威が失墜した時代（18世紀終わり〜19世紀初め）に、「近代芸術」

と呼ばれるジャンルが生まれ、制度化が始まった。

日本では、明治に入って同時代のヨーロッパの考え方が移入された。この頃のヨーロッパでは、感受性や主観を尊ぶロマン主義の運動が最高潮に達し、「芸術のための芸術」という思想が広まっていたが、日本に移入された「芸術」はこの種の芸術だった。

しかし20世紀後半になると、「芸術のための芸術」という在り方は行き詰まりを迎える。加えて冷戦が終結し、旧西側諸国でも、それまでは共産主義の象徴として忌み嫌っていた社会的な芸術にも寛容になり始めた。すると、再び以前の「生きるための芸術」という在り方に注目が集まるようになった。

「芸術のための芸術」では、モノとしての芸術という側面がクローズアップされるが、「生きるための芸術」ではコトとしての芸術という側面が重要になる。ここで焦点を当てるのは、「生きるための芸術」であり、コトとしての芸術という側面である。

文化と芸術の関係

文化と芸術は、それぞれ何を意味するのだろうか。おそらく多くの人は文化に対して、生活に密接に関わること、素人の表現活動といったイメージを持っているのではないだろうか。文化施設で行われる市民の様々な活動を思い浮かべる人もいるかもしれない。一方芸術に関しては、生活とは切り離された個人の内面に関わること、技能を身に付けた専門家が行い、一般の人はそれを鑑賞するというイメージが広く共有されているように思われる。しかしこのように文化や芸術を捉えていると、社会包摂につながる芸術活動の意義が見えてこない。

話がやや抽象的になるが、文化と芸術について、少し丁寧に考えていこう。文化というのは、実は、価値の秩序や体系を意味する。分かりやすく言うと、何が大切にされているか、何より何の方が重要とされているかという一連の暗黙の了解事項だ。文化が違うと、大切にしているものや、物事の順番が違うので、相手の行動や考え方を理解することができなくなる。しかし同じ文化にいる人どうしだと、暗黙の了解事項が共有されているので、こういうことは起こらない。

一方、芸術はこれまで存在しなかった新しい価値の存在を人々に問いかけるものだ。分かりやすく言うと、それまで大切だとは思われなかったものや事柄に価値を認めようと、人々に呼びかけることだ。別の言い方をすれば、芸術は、それまで人々が、価値があると気づいていないものに価値があることを気づかせるものとなるだろう。したがって、作品を制作することは、何か新しいものを作り出して、そこに価値があるから見てくださいと呼びかけることと同義だ。

今日の社会では、物事の価値が主に貨幣価値によって決定される。しかし、世の中には貨幣価値とは異なる価値がいろいろ存在している。そうした価値に気づかせてくれるもの、あるいは、自分が大切にしている価値をほかの人に伝えるものが芸術の役割だ。もちろん、ここでいう価値のあるものは、政治的に正しいもの、倫理的に正しいものとは限らない。人類には有害かもしれないが、生態系が持続可能であるために価値があるものもあるだろう。だから芸術は、ふだん見過ごされている価値を掘り起こしたり、貨幣価値として定まっていない価値のあるものを共有したりするものとして重要なのだ。

しかし芸術作品は、問いかけはするが、その答えを自分の中に持っているわけではない。実際、芸術はその価値を理解しない人にとっては、全く意味を持たない。したがって、文化政策は、社会にとって大切なものとは何かを問う芸術活動を支援することで、多様で持続可能な社会という文化の土壌を築いていくことが肝心なのだ。ただし、そうは言っても、文化や芸術という言葉については、人によって大きく理解が異なるというのが現状だ。前述のように文化と芸術を整理して理解しつつも、自分と相手の言葉が違うことを前提に、丁寧にコミュニケーションをしながら、相手が言わんとすることを理解していくことが求められる。

ところで、芸術は文化を土台にして作られる。価値に関する約束事がなければ、芸術は何をも意味することができないからだ。文化を踏襲したり、反発したり、あえて無視することから芸術の意味は生まれる。芸術は文化があって初めて成立するのである。文化と芸術は、比喩的に言えば、土壌と植物の関係にある。文化は芸術を生み出す土壌で、芸術は文化を土台にして成長する。そして、芸術は種を産み落としたり、自らが枯れて肥やしとなったりしながら土壌を豊かにする。文化と芸術は循環し合うのだ。

文化と社会包摂

近年、社会包摂（もしくは社会的包摂）という言葉が文化政策でクローズアップされるようになった。社会包摂というのは、社会的に弱い立場に置かれている人たちを排除するのではなく、包摂する社会を築いていこうという考え方だ。1990年代にヨーロッパで、「社会的排除」の対になる概念として生まれた。

ヨーロッパでは、1970年代にノーマライゼーションが広まった。ノーマライゼーションというのは、それまで社会から排除されていた障害のある人たちが、ほかの人たちと一緒に（障害の有無で区別することなく）社会生活を送れるようになることを目指すという考え方だ。しかし理念的には、障害のある人を一般の人と同等に扱うことは正しくても、現実的に障害のある人を一般の人と同等に扱っていると、いろいろ問題が起きてくる。例えば就労に関する基準を障害のある人にも一般の人と同じように当てはめると、障害のある人は「できない人」になってしまう。しかし一緒に生活をするというのは、全く同じことをするという意味ではないはずだ。

そこで登場したのが社会包摂（social inclusion）という概念だ。障害のある人を無理に一般の基準に当てはめるのではなく、違いのある人たちを、違いを尊重したまま受け入れる社会を目指そうという考え方だ。対象となるのは、障害のある人だけではない。社会的に排除され、孤立傾向にある人たち、例えば貧困を抱える人、移民・外国人、高齢者、ＬＧＢＴｓ、病気を抱える人、災害の被災者など、様々なマイノリティの人たちが社会包摂の対象になりうる。日本では、２０００年に厚生労働省で「社会的包摂」という言葉が取り上げられ、一般に広まった。なお、厚労省の文書では「社会」と「包摂」の間に「的」を入れているが、文化庁では「社会包摂」と表記している。

文化庁では、２０１１年の〈文化芸術の振興に関する基本的な方針（第３次）〉で初めて言及され、対策が講じられるようになった。こうした背景には、欧米をはじめ、日本においても、これまで排除されていたマイノリティの人たちが、表現活動を通してエンパワメントされた（自信を獲得し、能力を発揮できるようになった）事例や、多様な人たちが共に創造活動を行うことで、相互の関係が深まる事例が数多く報告されるようになったからだ。

しかし日本の現状を見ていくと、社会包摂を単純に社会参加と読み替えただけの取り組みも少なくない。マイノリティの人たちに表現の機会を与えることで満足したり、マジョリティの活動にマイノリティが加われるようにしただけで目標が達成されたと勘違いしたりすることもあるようだ。何もしないよりはましかもしれないが、これでは、マイノリティの人たちがエンパワメントされることも、多様な人たちどうしの相互関係が深まることも期待できそうにない。それでは、どうすれば社会包摂に貢献する芸術活動ができるのだろうか。

社会包摂につながる芸術活動とは何かを考えるためには、まず社会包摂という言葉を噛《か》み砕いて考える必要がある。前述したように、社会包摂というのは「社会的に弱い立場にいる人が社会から排除されたり、孤立したりするのでなく、共に支え合う社会をつくる」という意味だ。しかし、これは理想的な社会の在り方を指す言葉、大きな目的（ビジョン）なので、具体的な目標を示す言葉に翻訳しなくてはならない。

社会包摂は関係性を表す言葉に翻訳すると、多様な人たちが、共に協力し合う関係を築くという意味になる。さらにこれを個人の変化を表す言葉に翻訳すると、社会的に弱い立場の人がエンパワメントされる（自己肯定感や自己効力感が高まる）となるだろう。ただし弱い立場の人たちだけが変わっても、大多数の人が変わらなければ社会全体は変化していかない。したがって、マジョリティの人たちが、マイノリティの人たちがどのように感じているかを理解する、あるいは同じ人間なのにどうしてマイノリティと呼ばれるようになったのかを考えることが重要になる。

つまり、社会包摂に貢献する芸術活動を実施しようとするなら、「多様な人たちが共に協力し合う関係を築くことができるように、マイノリティの人たちがエンパワメントされ、マジョリティの人たちがマイノリティについての理解を深める」という目標を設定しなければならないのである。

社会包摂につながる芸術活動

では、どうすればこのような目標を達成することができるだろうか。まずは、マイノリティとマジョリティが共同で創造活動を行う場面を想定して考えていこう。

一番簡単なのは、①両者が直接に対話をする機会をつくることだ。マイノリティが排除されがちなのは、マジョリティがマイノリティを直接知らないことが一番の原因とされている。対話をする機会ができれば、相互の考え方に変化が生じる。もし対話が難しければ、一緒に何かを表現することでも構わない。一つの体験を共有することが、両者の関係に変化を及ぼすのだ。

次に大切なのは、②どちらか一方が優位になる関係をつくらないことだ。マイノリティがマジョリティの仲間に入れるようにするというのも一つの方法だが、マジョリティを基準にしている限り、マイノリティは疎外され続ける。だからマジョリティを中心に考えるのでは意味がない。異なる立場の人たちが協働して何かをするのであれば、どういうやり方がよいかを一緒に考えることが大切になる。

もう一つ重要なのは、③計画変更を厭《いと》わないことだ。前述のように目標は、「多様な人たちが共に協力し合う関係を築くことができるように、マイノリティの人たちがエンパワメントされ、マジョリティの人たちがマイノリティについての理解を深める」ことだ。それを達成するために、どのような創造活動をするとよいのかを臨機応変に考えていくことが肝心だ。活動をしているうちに目標が見失われ、少しでも見栄えのいい作品に仕上げることが優先されることがある。参加している多様な人たちが、生き生きできるのはどういうときか。一方の人たちだけでなく、双方の人たちが生き生きして取り組むことができるようにするには、どのような工夫が必要か。創造活動において最も創造的になるべきは、この点だ。そのためには勇気を持って計画を変更することも必要だ。

そもそも予期しない結果がもたらされることは、芸術活動では当然のことだ。というのは、これまで存在しなかった新しい価値の存在を人々に問いかけるものが芸術だからだ。あらかじめ予想された結果になるのは、芸術活動にとっては、むしろ好ましくないことと言える。目標を達成するために必要な計画変更はすべきなのだ。

このように①相互対話の機会をつくり、②どちらか片方が優位にならないようにしながら、異なる立場の人たちが協働するために、どのようなやり方が最善かを考えていけば、社会包摂につながる芸術活動を実践できる確率が大きく高まる。その際には、③計画変更を厭わず、予期しない結果がもたらされることを歓迎する気持ちが肝要だ。

では次にマイノリティの芸術活動の成果を鑑賞する機会について考えてみよう。この際にも、①展示や上演だけでなく、直接対話の機会を持つことができれば、鑑賞者と制作者の距離は縮まる。トークイベントやトークショーの時間を設けるのも一案だ。

それから、②どちらか一方が優位になる関係をつくらないように、展示や上演のやり方を工夫することも重要だ。私たちは自分が持っている認識のフィルターを通してでしか、ものを見ることはできない。もしふだんとは違う基準で見てもらいたいのであれば、そのように見ることができるよう仕掛けをつくることが必要になる。そうした展示や上演の方法を見つけることが、鑑賞機会をつくる際に最も重要な作業となる。展示や上演の機会をつくること、それ自体が一つの創造行為なのだ。伝統や慣習にとらわれない、新しい展示や上演の方法を生み出すことが、社会包摂の門戸を開く。

おわりに

社会包摂につながる芸術活動について話をすると、「芸術の質は問わなくていいのか」という質問が必ず出てくる。しかし、この質問には誤解が含まれている。これまで芸術にはいくつものジャンルがあり、それぞれの中で優劣が論じられてきた。しかし、ジャンルの中での基準はそこに属す人には重要でも、そうでない人にはあまり意味を持たない。議論すべきは、むしろ「この活動に関わる人たちにとって大切にしたい芸術の質とは何か」ということだろう。あるジャンルの専門家とそうでない人が一緒に活動をするのであれば、その人たちの中で大切にしたい芸術の質が何かを考え、その質を高めることが重要だ。芸術をモノではなく、コトと捉え直すことで、芸術の可能性は広がる。技を用い、工夫をしながら何かを生み出し、そのことで世界の見え方や関係性に変化を及ぼす仕掛けが芸術であり、これまで存在しなかった新しい価値の存在を人々に問いかけるのが芸術だからだ。

これまで見てきたことを別の角度から捉えると、社会包摂につながる芸術活動を行う際には、次の二つのことが必須となる。一つは、当初想定されていなかった新しい方法で創造活動や鑑賞活動が行われるようになること。もう一つは、創造活動や鑑賞活動を通して生まれた成果が、マイノリティだけでなく、またマジョリティだけでなく、双方の存在を讃《たた》えるような内容になっていることだ。これらの二つが満たされたとき、芸術活動が社会包摂へとつながる確率が飛躍的に増大する。
　芸術活動は束の間の出来事かもしれない。しかし一緒に創造をしたという体験は記憶として残る。たとえその記憶が意識にのぼらないとしても、記憶は私たちの身体の中に新たな認識の方法として存在し続けるからだ。そうだとすれば、多様な人たちと一緒に創造活動を行った共有の記憶を蓄積していくことが、多様な人たちと共存する社会を築いていくことにつながる。したがって、社会包摂という言葉を現場の言葉に翻訳し、活動に関わる人たちにとっての芸術の在り方を問いながら、その質を高める努力をすることこそが、社会包摂につながる芸術活動を実践することと言える。たとえ結果的にうまくいかなかったとしても、その試行錯誤自体が一人ひとりと向き合う文化を醸成し、共に生きる社会を築くことになるからである。

中村美亜　なかむら みあ
九州大学大学院芸術工学研究院コミュニケーションデザイン科学部門准教授、博士（学術・東京藝術大学）。専門は芸術社会学。アートと社会の関わりについて研究を行い、特に多様な人たちが参加するアートの場のつくり方、ファシリテーションの方法、芸術文化の価値と評価に関心がある。共編著に『文化事業の評価ハンドブック――新たな価値を社会にひらく』（水曜社、2021）、『社会包摂につながるアート活動のためのガイドブック』（東京文化会館、2020）、『ソーシャルアートラボ 地域と社会をひらく』（水曜社、2018）、単著に『音楽をひらく』（水声社、2013）など。

II

場をかたちづくる思い

社会包摂につながる芸術活動には、正解のかたちがあるわけではありません。場に関わる人々の思いが、個々に特徴を持つ現場を生み出していくのです。本章では、アートもしくは他の領域に専門性を持ちながらも既存の領域を越え、ユニークな現場をかたちづくってきた人々の思いを見つめます。

農とアートのある暮らし

小森耕太（認定NPO法人山村塾理事長）

棚田や里山の風景を守るとは

美しい棚田や里山といった農山村の風景は日本人の原風景であり、私たちの心を和ませてくれる。食糧や暮らしに必要な資源を生産する農林地がなぜ美しいのか？　それは、人と自然が対話をしながら、つまりは農山村で暮らす人たちが自然の声を聴きながら、森を切り開き、川をせき止めて水路を作り、田畑を開墾しながら集落を形成してきたからではないかと私は考えている。時には、木を切りすぎて山が崩れたり、川が氾濫したり、田畑や家屋を失うようなことがあっただろう。そして、その度に知恵を絞って、何とか自然と折り合いを付けてきた結果が、いま見えている風景となり、その持続性を美しいと感じるのではないだろうか。

近年、里山保全活動を行う地域団体やNPOが全国各地で増えてきている。里山保全と言っても幅広く、森林保全を行う団体、棚田を守る、農家を応援する、散策路を整備する、地域の祭りや伝統文化を継承する、農村料理を楽しむなど、様々なスタイルや組み合わせがある。そして、国などの公的機関が棚田や里山の価値を伝える際、農作物や木材の生産性だけでなく、生物多様性や水源涵養《かんよう》、地すべり防止、二酸化炭素固定、空気の浄化、学習やレクリエーションの場、伝統文化を守る場であるというような、多面的な役割を説明する。

しかし、活動に参加する人たちの多くは自分や子どもが楽しめる体験を求めており、主催側の思惑と参加側の期待がすれ違う場面も見受けられる。

活動団体と公的機関と参加する人々という立場によって、人と自然の関係に求めていることがずれてはいないだろうか。棚田や里山が育まれてきたように、人と自然が対話をしながら、その折り合いを見つけていくにはどうしたらいいんだろう。もやもやと考えている。

日々の暮らしによる「ハレとケ」

かつての農村には「ハレとケ」があった。生業としての農（ケ）とともに四季の移ろいや人との交流を楽しむ時間（ハレ）が大切にされ、日々の暮らしの中につくり出す楽しみや分かち合う喜びが存在し、それらが農村の文化や芸能を育み、相互理解や協働の精神を育んできたと考えられる。自然と折り合いを付けて暮らし続けるには、人と人が協力し合う関係性を保つことが大切だったからこそ、そういった余白や楽しみを共有してきたのではないだろうか。

現在の農業や農山村は、農産物の価格が下落して後継者がいない、企業誘致をしないと若い人がいなくなる、だから過疎高齢化が進み、道路の維持や医療福祉のサービスのコストが増していく、というようにその経済的な価値のみが課題として捉えられる。そして、農業や農山村を救うために注目されるのは、特産品開発、観光地開発、集客できる施設やイベントづくりだ。例えば、１９９０年代に、行政主導でグリーンツーリズム事業が全国各地で展開された。優良な取り組みも見られたが、多くは農山村の美味しいところや楽しいところを切り売りするばかりで、受け入れを担う農山村側が疲弊し、予算の切れ目が縁の切れ目ということも重なり、長く続くところは少なかった。

私たちが眺めて美しいと感じる農山村の風景は、特産品が生まれる場だろうか？　多くの人が集まる場所だろうか？　「ハレ」の場を都市に提供し、それを維持するための「ケ」だけが農山村に求められてはいないか。都市と農山村が分断し、それぞれの役割や責任だけが求められており、共に暮らし、共に楽しみ、共に悩むといった、かつての集落や家族では当たり前のようにあった関係性を忘れてはいないだろうか。

いろいろな国や地域、年代の人たちが集う

山村塾は、1994年に棚田での無農薬による米づくりや台風被災地での広葉樹の森づくりといった活動を開始した。2021年現在、子育て世代や定年後の生きがいを求めている人たちなど約70家族が参加している。活動地の笠原地区（福岡県八女市黒木町）は、伝統的な街並みが残る八女市街地に対し、奥八女地域と呼ばれる地域の一角で、棚田や茶畑、山林といった美しく豊かな農山村景観が広がる谷あいの集落だ。八女茶発祥600年の歴史があり、古くから茶栽培が盛んであることから、山間部でありながらも茶生産を中心に専業農家の割合も高く、比較的豊かな農山村と言える。

1997年からは九州芸術工科大学（現・九州大学）の故・重松敏則教授の協力により10日間の国際ボランティア合宿が始まり、2008年からはNPO法人日本国際ワークキャンプセンター（NICE）の協力を得て、最長で80日間の合宿事業が開催されるようになり、これまで27の国と地域からの人々がボランティアとして参加してきた。

当初、田舎に外国人がいることに驚く人もいたが、国内外の若い人たちが田畑や森林で泥にまみれて汗を流す姿に、次第に地域の人たちの理解や協力が進み、今では道端をロシア人が歩いていても、棚田でフランス人が草刈りをしていても誰も驚かなくなった。ボランティアにとっては日本ならではの文化や暮らしを体験し、地域の人たちと交流する機会を得ることができ、農家にとっては自分たちの仕事や地域の誇りを思い出すきっかけとなり、多様な地域と年代の人たちが集うことの意義が認められてきた。

ここで行われる合宿事業「国際ワークキャンプ」は5名程度のチームで自炊をしながら、里山

保全作業に取り組む。共同生活・共同作業によって、次第にチームの連帯が深まり、また棚田の草刈り作業や竹林整備の作業スキルが向上していくため、質の高い活動を行うことができる。しかし課題もある。ボランティア主催者である山村塾や農家の側から技術や知識を指導する場面が多くなるため、指導する・される、お願いする・される、というような二極の関係性になってしまうことがある。もっと自発的で自由な場をつくりたいと思いつつも、チームをまとめるリーダーやコーディネーターの力量に左右される部分もあり、なかなか難しさを感じている。

「アート×農」の取り組み

そういった中で、2015年度からSALとの連携がはじまり、少しずつ「アート×農」の大切さを感じるようになった。最初は、人材育成をテーマとした短期滞在の公開講座やセミナー、日帰りイベントなど、SALのお手伝いという少し引き気味の関わり方だった。私たちが「アート」の専門家でないことからの遠慮もあった。しかし、SALのメンバーと議論を重ね、アーティストと一緒にプロジェクトを進め、自らがアートマネジメント人材育成事業に携わる中で、「アート」の持つ力を感じ始め、地域の素材や山村塾のノウハウを提供するだけではもったいないと考えるようになった。そして、SALとのアート事業への関わり方は、協力から共催に、そして強めの共催(ほぼ主催)になってきた。

アートの持つ力として特に印象に残っているのは、2017年のサマーキャンプ「奥八女芸農学校」(2017年8月31日~9月2日)の中で、アーティストのジェームズ・ジャックによるアートワークショップ「地球の声を聴く」(放棄された棚田に寝転がる体験)を行い、次のプログラムとして山村塾が無農薬栽培の米づくりに取り組んでいる棚田で農の体験ワークショップ「田の草取り」を行ったときのことだ。ワークに参加する人たちが田んぼに足を踏み入れたときの視線や身体の使い方が、いつもの農業体験や農業ボランティアとは異なるように思った。ぬかるんだ泥の中を歩き、稲と雑草の違いを見分けながら草取りをするのは、慣れない人にとって結構難しいことなのだが、泥や雑草への関心や集中力が高まっている人が多かったように思う。短い時間ではあるもののアーティストによる人と自然の対話の時間を過ごし、二つのワークがつながったことで、人と自然の距離を縮めたのかもしれない。

　またこの経験から、反対のことも起きるのではないかと考えた。アーティストが農の経験を得ることで、新しいアートが生まれるかもしれない。アートと農、アーティストとボランティア、地域とアーティスト、地域とボランティアと重ねると、棚田や里山を育んできた人と自然の対話の場が生まれるかもしれない。そんな期待を感じるようになった。それを具現化したのが、２０１８年度からの「奥八女芸農ワークキャンプ」である。

奥八女芸農ワークキャンプ

　今後の展開を模索していた「国際ワークキャンプ」にボランティアだけでなく、アーティストも参加し、農山村の日常的な暮らしを通じて、地域と一緒にアートプロジェクトを創造していく場を共有する「アート×農」の試行がスタートした。

　２０１８〜２０２０年に行った3回の奥八女芸農ワークキャンプには、演出家・民俗芸能アーカイバーの武田力《りき》が継続して参加している。初年度は、「新しい民俗芸能をつくる」アートワークを行い、2年目は、地域内の高齢者福祉施設「よかよか」を訪れ、その利用者から昔の茶栽培や暮らしぶりを聞き取り、奥八女地域に歌い継がれてきた作業歌『八女茶山唄』に合わせた《八女茶山おどり》が創作された。3年目の２０２０年度は、外国人が参加できないため日本人のみで、コロナ禍での暮らしを試行錯誤しながらワークキャンプを行い、広々とした棚田を舞台に「唄って踊って味わう八女茶山＠彼岸花美しい棚田」という参加型アートイベントを行った。唄と踊りを楽しみ、八女茶を味わい、農家の話に耳を傾ける、ゆったりとした時間が棚田や茶畑の風景に流れた。

武田との関わりの中で興味深かったのは、身体の動きや身体の記憶について語り合ったことだ。武田が地域の人の話を聞く際、話の内容だけでなく、そのときの身振り手振りに着目した。たしかに、農作業や山仕事を行うとき、頭で考えて動くのでは間に合わない。身体で感じ、身体で考えることで、手が動き、足が進む。目の前の草に手が伸びる、危険を感じて探るように歩く。農山村での暮らしは、人と自然が身体を通じて対話をしていたに違いない。私たちは頭で考えることに頼りすぎてはいないだろうか。

このワークキャンプを通じ、武田とボランティア、私たち山村塾のスタッフは草刈りなどの作業に加え、地域の人から話を聞き取り、それがどのような情景なのかを思い浮かべ、地域について、農について、アートについて意見を交わしながら、アーティストと創作活動に取り組んだ。ボランティアと私たちの間にアーティストが加わることで、互いの欲求や意見を重ねる場面が増え始めた。

「アート×農」の取り組みと奥八女芸農ワークキャンプによって、人と自然の対話、他者と自分（都市と農山村）の相互理解や協働に道筋が見えてきた。事業の継続には、携わる人材の確保や資金面の課題があるが、もう少し時間をかけながら取り組みたい。地域にボランティアが関わることで農ある暮らしを再現し、そこにアートが注がれることで、地域の内と外の人たちが「農とアートのある暮らし」つまりは「ハレとケ」を感じることができる場をつくり、棚田や里山の風景を育む持続的で豊かな暮らしを考えていきたいと思う。

小森耕太　こもり こうた

1975年福岡市生まれ。九州芸術工科大学芸術工学部環境設計学科卒業。大学時代に山村塾の活動と出合い、2000年から山村塾事務局スタッフとして八女市黒木町に移住。以後、地域の農林家と連携し、里山保全活動、都市農山村交流活動を企画運営、また、平成24年7月九州北部豪雨災害を受け、笠原地区の復興支援に力を注いできた。2011年より事務局長、2019年より現職。

人が共に輝くために

尾藤悦子（共星の里ゼネラルマネジャー）

降りてきた赤い岩をめぐって

私は「共星《きょうせい》の里 黒川《くろがわ》ＩＮＮ美術館」（旧黒川小学校）が位置する朝倉市黒川地区で生まれ、子どもの頃から、自然の中に神が宿るという精神のもとに育ってきた。実家が4代前から土建業をしており、事故がつきものの稼業のため、いつも父は山に畏敬の念を持ちながら暮らし、お祈りをしていた。私も小さな頃から生活の中でお参りが当たり前だった。全てのものに神が宿るというこの地区は自然崇拝、山岳信仰の精神が色濃く残っている場所である。

そのような地域で長年暮らしてきた私が大切にしているのは、地場のエネルギーである。なぜ共星の里に外国人など多く来てくれるのかを考えると、かつて日本という国がまだできていない頃、この場所は韓国や中国との交流があったことまでに遡る。地場がもともと持っているエネルギーに対して忠実に、逆らわずにやっていった末に、国内外からアーティストが集まる場が生まれていることは、波動の重層性そのものなのか？　それを考えると私にとっては不思議なことではない。

２０１７年の九州北部豪雨災害のとき、山から赤い岩が共星の里のグラウンドに流れ着いた。復興の作業の中で、その巨石を移動させるという発想自体はとても人為的だと感じた。村の人たちに伝わる伝説では、この赤い岩は岩屋古権現様《いわやふるごんげん》として祀《まつ》られ英彦山《ひこさん》の母と言われている場所から今回流れ出した。そもそも山自体がもともとは赤い岩だったのだ。９万年ほど前に阿蘇山が噴火したときにこの赤い岩ができたと聞いたことがあったが、それより前にあったという話もある。昔は同じ様な赤い岩を「馬門石《まかどいし》」と呼び、九州から運び関西の古墳の石棺にも使われていたそうだ。

災害が起こって、自然に川の水の流れが変わったことにより、それが松尾川本来の川筋であり、自然の姿だったことが今回判明した。川が流れて石が並んだ景色を見て、私はなんと美しい光景かと思った。昔であれば、この岩は神様から授かったものだ、と言われ、権現様になったかもしれない。そうした当たり前のことを、人間の都合だけで除去することはできないと思った。

文化（culture）の語源は「土を耕す（cultivate）」と言う。土を耕すと、人は作物を植えて、神様にお願いをする。恵みの雨が降り、太陽とともにすくすくと育ち、多くの実りがあるようにと祈る。

その祈りが得られると、嬉しくなる。そして、嬉しくなると思わず踊ってしまう。それをまた表現したくて対象物を創る。そこから祭りが始まり、芸術が生まれたのではないかと私は考えている。

しかし、実際に災害が起き人が亡くなり、道路も寸断され、生きるか死ぬかのときに、「アートをやっている場合ではない」と言われるのではないかと思い、共星の里を閉めようとも考えた。だが、共星の里はもともと小学校である。今回の災害で廃校になる前の最後の在校生たちで埋めたタイムカプセルが、ここから10キロ下の寺内ダムまで流れて行き、それが偶然にも復興工事の中から見つかり、この黒川に戻って来た。そのタイムカプセルを当時の在校生と先生方も全国から呼んで開封する行事を「この共星の里でやりたい！」との申し入れが地域から起こったときに私は決断した。ここを再開しなくてはならない、という思いを強く持った。

その復興作業を始める頃に知足美加子先生と出会い、意気投合し、今回の「九州北部豪雨復興支援プロジェクト」に関わらせていただいた。

災害は、負の遺産かもしれない。だが再生できる。コップから溢れ出た水をまた満杯にするかのように、そこに出来た空間にまたいろいろなものを埋めることができる。

1995年に廃校、2000年からこの共星の里を始めた頃と同じで、無い。無いと思えば何も無いが、無いものづくめでも21年間奇跡的に継続している。継続は力。可能性は無限大だと気持ちを奮い立たせた。

一滴の波紋の雫として

私がこの黒川にいて好きだと感じるものは、雨が降ったときに雲が流れていく様子だ。雨が降って、大地から水蒸気が上がって、雲がどんどん上に上がっていく。子どもの頃は、「この雲はどこに行くんだろう」と思っていた。2018年に、「くろがわヒストリーアート」と題してシンポジウムを開催し、英彦山神宮の高千穂宮司様にご登壇していただいたお礼のご挨拶にと宮司様に会いにうかがった。1199メートルある英彦山にお礼参りに登ったとき、英彦山に霧がかかり、山の峰、木立が一層幽玄な世界へと誘ってくれた。そして自分が雲よりも上に行く体験をした。本宮下の三日月池に行って裏側から英彦山に登るとき、静まりかえった森林の中、晴れているのに天空からの雫が水面に落ちた。幾重にも広がる波紋。霧の中、全ての分子が融合し、水滴となって池に落ちた。そのとき、全ては循環なのだと気づいた。霧が水蒸気として上がり、雫となって池の中に落ち、山から流れてそれが川になり、街でみんなを潤わせ、そして海に流れていく。山の恵みが川となって、川の恵みが街に行き、海に循環することを思って、私は自然に対する畏敬の念を持ったのだ。

英彦山が持つ叡智《えいち》に触れられ、その素晴らしい様子に遭遇でき、この瞬間に此処《ここ》にいられたことに感謝した。全てはつながり、浄化と再生が行われることをあらためて確信した。流れる川のごとく、どんなときもその宇宙の原理、母なるこの地球の循環。私はその一滴の、波紋の雫になりたいと思った。歴史と自然の循環があるこの場所で私ができることは、歴史を踏まえるようにこの地をきっちりと預からせていただきながら、縁をつなげていって何か生まれていくことを見つめることである。そのことで、地域に独自性が生まれていく。私はただ、この地場のエネルギーを大切にしていくだけのことだ。私は愛情を持って、私ができることは何かを常に抱き深化していきたい。その中で今このとき、この瞬間を生きていることに「感ずる」力を大事にしたい。「感じる」のは自分からだが、「感ずる」のは、いろいろなところからつながって自然と気づいていくことである。

何かのご縁で自分が黒川に生まれ、災害のときに実は、あと5分遅かったら今ここにいないという経験をした。生かされたのだ。見える世界だけではなく見えないエネルギーがこの世界のことを動かしている。ここがこういう場所だと継承することによって、また新たに何かをいろいろなかたちで皆さんに感じていただき、元気になっていただくことを喜びとしている。

その場所を生きる主人公

復興支援プロジェクトでは多くの学生が共星の里を訪れ、2020年に実施した「黒川庭園と喫茶アート養生会」で作品を発表してくれた。私たちの役割は、学生たちの何かやりたいという気持ちを受けて彼らが一番やりやすい状況をつくって見守っていくことだと感じた。例えば彼らが何かをしたくて躊躇《ちゅうちょ》していたら、いろいろな手立てで少しだけ後押ししたり、和やかになるかなと思ってお茶を出したりとか、ちょっとした関わりをする。そのことで、彼らの顔がいい感じになり、気持ち良く事を進められるようになればよい。彼らからは「すごく優しくしてくれてありがとう」という言葉をもらったが、私の方こそそう思ってもらえて嬉しい。そこに、お互い嬉しいという交流が生まれる。

自分のやったことが誰かに喜んでもらえる、という、彼らの目をきらきらさせるような達成感を得るチャンスが、今の世の中には少ないと感じる。共星の里は21年にわたり、実験的に様々なプロのアーティストにいろいろな人を交えて作品を作ってもらったり、無限の可能性を信じてやってきたので、今回もそのスタンスを貫いた。

地域に新たに外から入っていこうとするとよく、「俺らが住んどるんじゃけん、よそもんが来て何するんか」と言われてしまう。だが、アートの良いところは、1＋1＝2ではなくそれ以上のパワーを放ち、グレーゾーンをつくれるところだ。答えがない分、感じられる人は感じられるし、五感から刺激を受けて、何か分からないけど嬉しくなったり、心が元気になったりする。その出来事が人の心の開くきっかけになったりもする。それこそがアートの力だと私はいつも感じている。

私は黒川を愛している。この場所を知り、空気を感じてほしいという気持ちで共星の里を始めた。アートは、関わる人たちの想いを形にできる。そこに共感し合えて、やりとりをするきっかけになる。そこに集まる人たちにとっては、自分の意見が場所に入っていくことで、必然的に想いが入っていき、第二のふるさとのようになっていく。大事なのは結果ではなくて、そういうプロセスだと感じる。

今回完成した「復興ガーデン」も、そういう意味では私たちにとっての希望である。一度だけでなく何度も訪れてもらい、自分が植えた木が育っていってどうなったかな、と、自分が関わったところに想いが入っていくことが重要だ。

みんながその場所を生きることの主人公である。周りの人たちがいないと主人公は立たないし、自分が主人公だったら周りに対して、自分にしてもらったことが分かる。「この指止まれ」で、「言い出しっぺは頑張れ、後押しするから」という感覚を持ち、お互い共感し合えたら素晴らしいと思う。

共に輝く

共星の里はもともと小学校なので、わくわくどきどきすることを大事にし、ダメという言葉を一切使わないのがポリシーの一つである。とにかく実際に何かをやってみて、感じることが重要だが、それを頭ばっかりで考えていると実動が伴わなくなってしまう。ＩＴの世の中で、検索してコピペすれば何かができた気になってしまう、というようなことが増えたが、実は全ては現場で起きているので、それをしっかりと感じてほしい。アナログ的に、目と目を見ることで、何を感じているのか、と、ぽわんと波動を感じ合える。自分が光っているのが一番大事であり、そのことで相手もそれを感じて光ることができる。だからこの場所は「共」「星」の「里」と言うのだ。

各自が軸をきちんと持ちながら互いの違いを認め合い、時に主役に、時に脇役となり輪をどんどん広げて、自分のことだけではなくその周り、そしてさらにその周りがしっかりとつながっていくことが重要だ。輪と輪の間が大きければ大きいほど、広がって、お互い響き合う。自然とアートと人を結び、融合させ、心をゼロに戻せる場所。自らの固定観念にとらわれるのではなく、それぞれの新たなステージを発見するきっかけとなればと思う。共星の里で私はこれからも、これまで以上に様々な人たちが共に輝く場になるように目指していきたい。

最後になりましたが、知足先生をはじめ、白水さん、ＳＡＬの関係者の皆様にはこのプロジェクトを通してたくさんのありがたいご縁をいただき、また大変お世話になりました。心から感謝申し上げます。

朝倉の共に響く満天の星に願うは令和の縁《えにし》

尾藤悦子　おとう えつこ

福岡県朝倉市生まれ。ファッションデザイナー。オートクチュールファッションデザイナーのテルコ・オトーに師事し、パターン・デザインと和服を学ぶ。2000年から母校でもある山里の廃校を利用した「共星の里 黒川INN美術館」の立ち上げ・企画・運営を行う傍ら、2011年に布あそびを楽しみながら「アート感のある現代のジャポニズム」をコンセプトに創作服「Kien」を立ち上げ、共星の里を拠点に衣食住を通し、真の豊かさの探求を続けている。

［聞き書き］
聞き手＝村谷つかさ、長津結一郎
構成＝長津結一郎

対談

アーティストの身体は、いかにその場にあるか

音楽と演劇という異なる芸術領域を母体としながらも、場所性やそこで関わる人の存在と深くコミットした表現活動を展開する共通点を持つ両氏。二人が行ってきた多様な活動で得た経験を基に、プロジェクトの場においてアーティストが持つ多様な視点や意識、身体性について話をうかがった。

手を入れて、育てる

武田　僕は、小学校の先生になるために大学で教育学を勉強したのですが、教育の世界に違和感を感じて、演劇の世界に入りました。そして、俳優から作り手になろうとしたときにアジアの民俗芸能を見て回る機会を得て、その体験を基にいろいろな実験をする中で、作品のようなものを作り始めたという経緯があります。それで、今でも演劇と民俗芸能から何かを作り出すことが多いのかなと思います。

ＳＡＬとの活動では、八女茶の生産地として知られる福岡県の山間地域に3年間関わっており、２０１９年には《八女茶山おどり》という踊りを作りました。江戸末期くらいから、茶もみのときに唄われていた『八女茶山唄』という作業歌があるのですが、戦後に機械化が進み、お茶の作り方が大きく変わったことで日常の中で唄われる機会を失ってしまった。そうした状況において、唄自体や唄に託されている文化、その時代、この土地に生きていた人が大事にしてきたことを、どのように次の世代に継承していけるのだろうかと考えました。

実際にその唄を唄いながらお茶摘みや、お茶もみをしていた最後の世代は、今80歳くらいなのでお話を聞けるぎりぎりの時期でもある。それで、地域の高齢者福祉施設に通わせてもらい、当時のことや、これからこの土地に生きる人たちへの願いなど、話を聞きました。加えて、話すときに不意に現れるその方たちの身体が記憶する農作業で

野村誠 × 武田力《りき》

作曲家・ピアニスト・
日本相撲聞芸術
作曲家協議会理事

演出家・民俗芸能
アーカイバー

聞き手＝村谷つかさ、長津結一郎

の動きや、この土地で生きる中で身に付いた身体の在り方なども手掛かりにしながら、『八女茶山唄』に振りを付けていきました。それが、地域の盆踊りのように受け入れられて、地元の方たちが盛り上がっていることもあり、今に続いています。そうした動きは、もう少し育てていかないとまたすぐなくなってしまうので、今後も手を入れながらも、段々とその手を離していけたらいいなと思っています。

長津　「育てないとなくなるので、手を入れていく」というのは、畑の話でも民俗芸能の話でもあるし、いろんな人と関わるアートプロジェクトのときの話でもありますね。

継承のかたち
―真空パック保存か、手渡しのバトンか―

野村　さっき継承という言葉があったけれども、真空パックのように変化を伴わずに保持するとか、博物館で資料として保存するという方法もあると思うのですが、受け取ったバトンを、時代や状況に応じて変化させて次の世代に渡すという継承の方法もあると思っています。僕からは、こういうバトンの渡し方をするよ、だけど、バトンを受け取る人が違えば、たぶん渡し方もまた違っていく。武田さんは八女茶の唄を踊りにしたけど、それはどんな感覚でしているのですか。お茶を摘む動きとか作業の仕草をどうして残したいと思うのか、面白いと感じていることは何ですか。

武田　手垢《てあか》というか、その人が生きていた痕跡というか。100年、200年経つと、名前は誰も覚えていないけれど、その人が唄った節だけは残っているようなことが面白いと思っています。そもそも民俗芸能の成り立ちがそうですよね。『八女茶山唄』は、土地の生活の在り方も唄っていますが、その頃の生活の在り方を身体感覚として知っているのは、今はもうおじいちゃん、おばあちゃんたちしかいない。その身体性というか、彼らが生きた痕跡は、踊りが継がれる限りはどこかに残っていくだろうと感じています。

長津　芸能を継承する人の中には、真空パックにしてほしいという、昔からのやり方を変えないことを良しとする人も多いと思いますが、そういう場合はどう関わっていますか。

野村　日本の芸能は、最初に〇〇流で習ったら、先生を変えちゃいけないというルールがあるらしいんです。一つの〇〇流の特色を守るために、混ざらないようにしているんですよね。僕は閉ざされているところを、無理にこじ開けに行くようなことはあまりしていません。

だから、時代の変化に応じて、融通を利かせるオープンな芸能であれば、こちらも関わりが持てる。そういう意味で言うと、その門の開き具合とも関係があるという気はしますね。

武田　僕もいろいろな土地で、その土地の人と一緒に何かを作ったりしますが、自分から門を開けに行くということはない。話をする中で、「じゃあ、ちょっと一緒にしてみましょうか」という感じで始まることが多いですね。野村さんが「混ぜる」と言っていましたが、僕は、「混ぜる」のがアーティストの仕事だという気もしています。外からやって来て、何かと何かを掛け合わせ、どう化学反応を起こすかという。

野村　真空パックと言いましたが、芸能が生きているということは、常に変化しているということだと思うんです。僕は生きている芸能を、生きた形で受け取りたいという気持ちが強いです。武田さんが「手垢」とか「痕跡」とか言っていた、そこが面白くて、表面的な形態を残すこと以上にその感触を残すことの方が大事だと思っています。

身体性によるバトンの受け渡し

村谷　真空パックにして変容なく継承するのではなく、バトンをいろいろな形で渡すというときに、「感触を残す」ことが大事だと言われました。バトンの渡し方を考えるとき、「感触を残す」ために大事にしていることや、意識している視点は何ですか。

野村　僕はやっぱり、すごく作曲家なんですよ。創作することに対して、未知な音楽体験に対して本当に貪欲なんです。だから、場や何かをつくるというとき、まずは自分の興味に従うところが非常に強い。例えば、音楽家としてここの節回しを知りたいと感じたらビデオを何百回も再生して、譜面に起こしてみる。さらに自分でやってみて、身体で実演できるようになるまで猛練習するというように、徐々に解像度を上げてかなりのめり込

Nomura Makoto × Takeda Riki

んでいく。それが、自分にとっての居場所のつくり方です。表現の細部に没入することで、自分がそこで当事者になっていくという部分はありますし、そうすることが、自分の役割だと思っています。

そして、自分なりに咀嚼《そしゃく》したことで、僕は何十年も踊り続けた感覚には全く及ばないけれども、「ここが醍醐味《だいごみ》なんだ」という魅力を自分なりの表現で伝えられる。「ここの脚を高く上げる、この左脚でバランスを取るところが、うま味なんだ」と教わったところのリズムの謎を解析することはできるんです。

長津 それは、コピーするという感覚に近いですか? 武田さんは前に、憑依《ひょうい》させるという表現を使っていたと思いますが、野村さんはどういう感覚なのでしょうか。

野村 その身体になってみるというのは、半分は憑依だし、半分は自分の感覚だと思います。例えば、大相撲の太鼓の叩き方は、バチの持ち方から構え方まで独特です。その叩き方を自分の身体に強制することを通して、少しでもその身体になってみる。すると、その身体の在り方が背負っている歴史とか時代とか人々と、若干だけど、つながった気がして面白いです。武田さんはどうですか。

武田 滋賀県に「朽木古屋《くつきふるや》の六斎念仏《ろくさいねんぶつ》踊り」という芸能があるのですが、集落の過疎化や継承者の高齢化により一度途絶しました。それで滋賀県の職員さんから、県の無形文化財でもあるので何とかしてほしいと、僕に話が来ました。踊りの映像を見ながら何度も練習するのですが、それは踊りの振りを自分の身体とすり合わせていくような感じがあります。この芸能は、お盆に集落に帰ってくる祖先たちと一緒に愉しむ奉納の舞なのですが、ときどき憑依のような感覚になるときがあります。昔から何百年も継がれている芸能によって、まるで自分の身体ではないかのような、誰かに操られているような、すっと抜けていくというか、不思議な感じです。踊りの型を自分の身体に合わせることができて初めて、自由な瞬間が極々たまに訪れる。

村谷 武田さんは奥八女のプロジェクトでも、踊りを作るだけではなく、農業をすることもとても大事にされていますよね。

武田 そうですね。それは、僕にとってすごく大事なことです。僕は芸能を作るとき、その土地とつながった在り方を考えます。その土地の農業の在り方や気候の在り方、生活の在り方などを知った上で作りたいと思う。そこでの生活について全部の要素を使うことはできないけれど、その土地における生活のどこに接した芸能かということには、常に意識を向けています。《八女茶山おどり》もそのように作っていきました。

「作品」あるいは「作品のようなもの」

村谷　アートプロジェクトにおけるアーティストの役割は、「作品」を作ることだと思われがちですが、お二人はどう捉えていますか。武田さんは特に、「作品」という言葉は使わず「作品のようなもの」と言われていますが、それにはどういう意図があるのでしょう。

武田　僕の素地は演劇なんです。演劇の考え方を用いながらその人の存在を捉えたり、人と人とがどう出会えるのかを考えたりする。また、僕は無名の歴史の儚《はかな》さが好きだったりもします。最近は里山などで活動を展開することが多いのですが、そうした土地は全国的に見て過疎化が進んでいますよね。先ほどお話しした滋賀の集落も10年後に存続しているのか、現状では誰にも分からない。でも、お金の価値が肥大化したこの時代に、現代の潮流に取り残されたように継がれてきた、民俗芸能をはじめとするその土地の日常というものは興味深く、僕は美しいとすら感じます。そしてそのような、多くの人は見向きもしないけれど自分には感じられる価値に対し、どう光を当て、誰と共有できるのか、どう伝えられるのかということに興味があります。

「作品」の定義の仕方にもよりますが、僕がしていることって、アート作品なのかと聞かれてもよく分からない。僕は、演劇の考え方を用いていることに対しては誇りを持っていますが、それが演劇として見られなくても全くいいし、「作品」と思われなくてもいいと思っています。

野村　「演劇」という言葉は、人によって異なる文脈やイメージで使われると思いますが、武田さんの言う「演劇」とは、どういうものですか。

武田　自分にとって「演劇」とは、多様な人が集まって、ある課題について互いにやりとりをすることですね。その行為を通して、演劇を含むアー

Nomura Makoto
×
Takeda Riki

トが日本でどのように根を張れるのかをいろいろと試していると言えます。日本におけるアートは、近代化する際に西洋から輸入したものですが、明治維新から150年以上がたった今も、アートが日本で根づいているとは思えない。一方で、日本には民俗芸能や能など脈々と続いてきた表現がある。そうした日本古来の表現に、西洋においては民主主義を成立させる機能を担う「アート」を混ぜ合わせることで、どう根づかせられるのかということを考えています。

野村 それは、どのような人に向けてやっているのですか。

武田 そこに生きている人たちへ向けて、という感じですね。演劇人やその愛好者に、とは考えていない。だからこそ、「これは作品です」とタグ付けしなくてもいいと思えるのかもしれません。僕が作品を作っても、外に出したら社会のものという感覚があります。

場合にもよりますが、例えば民俗芸能について継承の軌道をつくるときには、それ以前に長い歴史を持つものですし、僕が始めたものでもないので、ゆくゆくは僕の名前が消えたらいいと思っています。つまり、これまでにいろいろな人の身体がその継承に関わっている。僕もその一部になるということですね。《八女茶山おどり》に関しても、そちらの感覚の方が近い。僕が死んだ後も、踊りが残っていけばいい。その時代その時代に生きている人たちが踊り続けてくれたら本望ですし、僕を含めそれまで踊ってきた人たちが、振りの中に「生きている」ように思います。野村さんはどうですか。

野村 僕はそこで起こったことの面白さを、別の場所でシェアするための方法をいろいろと探している。芸能の多くは、場所と人々とが密接に関わっているので、持ち運びができないんです。だから、その場の尊さを尊重しつつも、持ち運びが可能で流通可能な「僕の作品」を意識的に作るようになった。僕が許可すれば、自由に変えていける作品で、出版したりもできる。自分が旅をするというか、時間的にも空間的にも移動する立場なので、ある種、託されているというか。信頼を得た上で、作ったものを別の文脈に持って行ったり、違う相互作用を起こしたりすることは、僕ができる役割だと思う。

その場には居合わせなかった人とも体験や感覚をシェアする方法を自分なりに編み出していくことも、僕がやりたい仕事です。それが「作品」であろうと、「作品のようなもの」であろうと、文章であろうと、僕が使えるメディアは何でも使って、ほかの人とシェアしたいという欲望が強くある。そして、そのように作ってしまうことは、僕のアーティストとしての性《さが》だと言える。だから、純粋にピアノ曲を作りましたと言っても、その中にはたくさんの人が生きている。自分自身がそういう身体であるというか、いろいろな人がミックスされて自分になっている、そういう感じがあります。

共に作る人としてのアートマネジャー

野村　プロジェクトにおいて僕は、基本的に分業されすぎると面白くないと思っています。頂点として責任者が居て、役割があってという形だと、みんなで作っている感じというのは起きにくいので、ちょっと混沌《こんとん》としている方がいい。領分を越えずにやるのではなく、それぞれ得意分野がありながら、たまたまフォローできる人がフォローするというような、越境していく関係の方が有機的にものが作られていく。僕は、自分がイメージできない方に進んでいくとか、「やられた」と思うことが起こる方が好きです。そういう意味で、アートマネジャーとして自分の領域を決めて「これ以上、口は出さない」と限定するのではなく、ある種カオスの中で自分なりのアートマネジメントの仕事や関わりをつくっていってほしいです。

武田　アートマネジャーという役割の方に求めたいことは、入り口をつくってくれるといいなと思います。その地域の鍵を握るというか、地域にどう入っていくのか、どういう課題が横たわっているのかを知るというか。その上で、その集落で生きている人と話ができる環境を用意してもらえるとありがたいかな。野村さんの言うとおり、いろいろな人との関わりの中で作っていく方が面白いですよね。ただ、そのための仕組みをつくることは、土地ごとに可視化されていない条件もあるし、結構難しい。そのときにどう切り込んでいけるか、どう制作のきっかけをつくれるのか、そういう話を一緒にできる人だといいですね。

Nomura Makoto
×
Takeda Riki

これからの在り方への思い

武田　何だろうな。昔、僕は俳優だったのですが、最近ちょっと俳優としての性《さが》がうずうずし始めているんですね。コロナ禍だからかな、何故か分からないけど。僕がずっと作り手と言いながらも実際に作ってきたのは、俳優としての経験を使いながら、どういうふうに相手との関係性をつくれるかというもので、その中で、作品を媒介に様々な軌道をつくったり、変えたりしてきたのだと思います。そして舞台から離れて10年経って、舞台の上でひりひりとやりとりする感じというか、舞台でしかやれないことに対して、なんとなく心がうずくのを感じています。

野村　僕は、今まで場所に根ざして多くのプロジェクトをやってきました。2020年はオンラインでやることで、そういう別々の場所で出会った人々が土地を越えて混じり合った場ができたことが面白かった。例えばイギリスの人とマレーシアの人が出会ったり、香港の人と東京の人が出会ったり。それこそSALのプロジェクトでも、あゆきち（里村歩）とか、今までは九州大学に来てもらっていた人たちが家にいて、生活している場所でダンスをしてもらうとか、日常生活を見せてもらうことができた。自分がつなぎ手としての役割を果たすことで、それぞれの日常を混ぜ合わせることができると面白いだろうな、新しい相互作用が起こるきっかけをつくれるかもしれないな、そんなことを思っています。

構成＝村谷つかさ

野村誠　のむら まこと

インドネシアと日本で上演されるたびに変化するガムラン作品《踊れ！ベートーヴェン》(1996) や日英共同の《ホエールトーン・オペラ》(2004～2006)、マルチメディア作品《老人ホーム・REMIX》(2010、2012) など、分野を横断し人と出会う中で、多様な作曲活動を行う。

武田力　たけだ りき

俳優として欧米を中心に活動するが、3.11を機に演出家になる。「警察からの指導」「たこ焼き」「小学校教科書」など身近な物事を素材とし、また過疎集落の民俗芸能の復活・継承を手がけるなど、観客とともに現代を軽やかに思索する活動を展開する。

対談

アートと福祉
自らのまなざしを問う

義足のダンサーや俳優として国内外で活躍の場を広げ続ける森田さんと、自らの「文化生態観察」を掲げ、芸術文化を「生態系」と捉えた研究や実践に取り組む大澤さん。日本における障害のある人の芸術活動に関する国の政策立案にも携わってきた二人の視点を通じ、「アート」「福祉」という異なる領域を横断して行われるプロジェクトの在り方を探る。

まなざしの可能性を広げる

大澤　私が初めて森田さんを目撃したのは、NPO法人ダンスボックスが企画した循環プロジェクト公演『$\fallingdotseq^2$』（にあいこーるのじじょう）でした。私にとって、初めて障害のある人をこんなに凝視したっていう濃密な時間だったんです。森田さんたちのダンスを見ながら、この身体にはかなわないと思って。それ以来しばらく、自分のまなざしはこれでいいのかなと反芻《はんすう》しました。でも私自身のそのようなまなざしは、正しいのか間違っているのか、もしかしたら森田さんにとって傷つけることになるのか、とか。

森田　私は大学院生もしていて、先日、修士論文を提出したんですが、研究の中でまなざしのことにちょっとだけ触れているんです。私はどちらかと言うと、「どう見ていいか分からない」という戸惑いって何なんだろうと思って。言ってみれば、既成の身体、健常者の身体が当たり前とされている中で、違う身体に触れたときに対する気持ちは、恐ろしい、とか、不気味なものに出会った、という気持ちなんだと思います。

私たちは客体として扱われてこなかったから、舞台に立つことで初めて客体となる。もちろんふだんの生活でも「見られる」ことはあるんですが、舞台の客体とはちょっと違うものだと思っていて。その違いって何だろう、という答えのないことをいま書いています。

大澤　どう見ていいのか分からない、っていうのは、障害のある人に対する場合もあれば、アート

森田かずよ × 大澤寅雄

ダンサー・俳優
(株)ニッセイ基礎研究所
芸術文化プロジェクト室主任研究員

聞き手＝長津結一郎、村谷つかさ

を見るときに理解しにくい表現に触れたときもあると思います。見る側が自分の価値の基準や範囲を守るために、どう見ていいのか分からないっていう、基準や範囲の外側に置く、ある種のエクスキューズでもあり、実質的には拒絶反応ですよね。私は「しょうがないよな、目が離せられないよなあ」っていう気持ちを、自意識過剰になりながらも受け入れたいと思ったんです。自分にとってのダンスとか、自分にとっての障害・健常っていう枠を広げることで、見え方が変わる。

そのまなざしは、自分が障害のある方のダンスをまた別の人に紹介するときにどう提示するのかっていうことに影響を及ぼしていくんですよね。私のまなざしを提示することが、受け止める人たちのまなざしを誘導することになる。私はまなざしの可能性の幅を、いかにして広げるかが大事なんだと思います。

見えていない可能性に寄り添う

森田　私は大阪府でやっている「大阪府障がい者舞台芸術オープンカレッジ」という事業にも長年関わっているんですけど、そこで倉品淳子さんの演出を体験したのは大きな経験でした。障害のある人が舞台芸術を体験して本番までやるというものなんですけど、このときは知的障害のある人や精神障害のある人がたくさん集まって、オーディションで出演者を決めていました。稽古の中では、誰かの特性や行動が、誰かの敏感な部分に触れてしまったり、誰かの行動がきっかけで誰かが耐え切れず稽古場を出て行くとか、いろいろありました。でも、だんだんとみんなが人の話を聞くマインドに変わっていったのが面白かったです。

その要因は、倉品さんの時間のかけ方だと思います。倉品さんがオーディションをしたときに、17回の稽古にどれだけ来られるかがポイントだった。倉品さんももちろん毎回いらっしゃっていました。時間がすごくたくさんあって、いろんなことをみんながいっぱい試したり、一人ひとりモノローグをやったり。それで、その子の特性というか、どういうタイプの子なのか、何が得意なのかとか、っていうのをちゃんと見る時間があったっていうのが大きかったんですよ。

長津　SALは倉品さんと舞台公演『走れ！メロ

ス。』でもご一緒してるんですが、そのときも時間を共にすることを重視してるんだなと思ったんです。居合わせられるかどうかが重要という、普通の劇団だとすんなりできることが、できないことがあるんですよね。今日はちょっとお風呂の介助があるんで先に帰ります、みたいなことがある。調整して何とか全員1日4時間集まるようにしても、当日来られなくなることがある。そもそもの文化が違う人と一緒にやっていくには、柔軟にやらざるを得ないんですよね。

大澤　倉品さんのプロジェクトが面白いのは、いろんな個性のある人がそこに関わるんだけれど、作品化するときに素材になり得るものを、文脈を変えずに当てはめていって、最終的には文脈そのものも変化するまで作っているところだと思います。表現活動には、最初に構想したものをその通り作ろうとするプロセスもあるでしょうけど、作りながら変化していくことにどれだけ耐えて、面白がられるか。助成を受けている事業とかになると、最初の申請書の計画内容から文脈そのものも変わるかもしれないって言われたら、とても焦ってしまう。でも実際は、その変わっていくことを楽しめるのがいいプロジェクトだなと思います。

村谷　私は倉品さんの演出における最も大きな特徴の一つは、その人にとことん寄り添って、まだ見えていない可能性にアプローチするところだと思っています。私は障害福祉施設に10年勤めて、重たい知的障害を持つ人と表現活動をしていたのですが、食事や排泄介助などの生活支援もしていたんですね。その中で思うのは、福祉の仕事もその人の可能性に寄り添うことが大切だということです。その人が興味を持ちそうなことを一緒にやったり、興味があることを思う存分できる環境をつくったりすることで、これまで隠れていたキラリとしたものが花開いていく。表現活動にしろ生活支援にしろ、特に自分の意思を何かしらの言葉で伝えることが難しい人との活動においては、その人のまだ見えていない可能性に寄り添うということを、活動の起点にすることが大切だと考えています。

森田さんが2019年のSALのシンポジウムで話された、決まった振り付けを障害のある出演者70人で踊るという作品では、振りをそろえるのが大変だったというお話が印象に残っています。

Morita Kazuyo
×
Osawa Torao

パフォーマンスってこういうものだという型に彼らを合わせようとすると、その人の個性や可能性が感じられない、型がなぞられているだけのパフォーマンスになってしまわないでしょうか。

森田　たぶん紹介した事例は2017年の森山開次さんのワークショップと公演のことだと思います。あのときは時間的な制約もあって、「その他大勢」の役が生まれざるを得なかったんですよね。ただ、参加してくれる人たちにとっては、満足度は高かった部分もあります。やっぱり大勢で一つのものを作るっていう経験ってなかなかできないので。私たちが「これはアートだ」と思うものが、全ての人にとってアートじゃない。結構みんなベクトルが違うんだなっていうのを私は感じたんです。それはその人それぞれのやりたいことの違いなんだろうなって思います。

ダンサーとして障害のある人に関わる

森田　「大阪府障がい者舞台芸術オープンカレッジ」で興味深かったのは、アシスタントについてです。基本的にアシスタントとして参加してくれていたのは、ダンサーなんです。その中には、「何で私ダンサーなのに、こんなことしているんだろう」みたいな考えが途中で出てきたりして、すごく関わりが難しいなって思ったんです。そのときに、介助や介護にしないようにすることがあなたたちの仕事だ、というのが私の求めていたことでした。私は、障害のある人にダンスのアシスタントとして関わるには、ダンサーとしてのスキルが要ると思うんです。ダンサーとして見せることをまずしないと、参加者たちは付いてこない。

ですが、2年目くらいからはアシスタントの人が「こうやった方が、順番にこの子は出るよね」とか「この人は人のフォローをするタイプだから、こうしたらちゃんと舞台に出てくるよね」とかを計算していました。たぶん、私よりも名前も特性もきっちり知った関係になってきたんです。

大澤　アシスタントっていうポジションで関わっていたダンサーが、障害のある人とダンスとの間をつないでいるんですね。

ダンサーとして関わってほしいけれども、「求められていることは介助や支援なんだろうか」と考えてしまうと、モチベーションを発揮できない人もいると思うんですよ。そのときに、介助や支援をしてほしいわけじゃなくて、「ダンサーとしての資質で障害のある人の身体と向き合って、ダンスの枠を広げてほしい」ということを、言っていく必要があるんだなと思いました。

森田　活動によっては、ケア専門のスタッフや看護師を付けるところもあります。その場合にはアシスタントは、あくまで舞台上で行われるパフォーマンスのアシスタントです。そういうふうに専門職的に任せるのも一つのやり方だと思ってるんですが、それってやっぱり「介護かクリエーションか」みたいな分断になる。どういう規模で、どういうことをするかで、アシスタントの役割が変わると思います。

大澤　バリアが固くなるときって、自分の知っている文脈から逃れられない状態だと思うんです。「福祉とは、障害とは、アートとはこういうものだ」という、自分の今まで生きてきた中で培われた文脈から逃れられないことが、バリアを固くしている。アートの側からも福祉の側からも勇気を持って文脈を広げる。それで分かり合えるかどうかは、分からないんですが。でも、伴走したり、寄り添ったりするためには、それが必要なんでしょうね。

森田　枠から出にくいのは、その中で満足しちゃうってことが、まず一番大きいと思うんです。もっといろんなことをやりたいと思っても、まあここでやれてるからいいやって思っちゃうのは、もったいない。私は、そういうところが最初なかったから、たくさんオーディションも受けたし、いっぱい落ちたけど、オーディションで出会った人が使ってくれたりとかして、結構人脈を広げることができたりもしたんです。障害者だからとかじゃなくて、この身体だから使いたいと思っていただけたんだろうなと思っています。障害者・健常者とかじゃなくて、外にもチャレンジしてみると、落ち込むこともあるけど、いいことがあるかもしれない。

枠の中にいると、もう私たち仲間じゃん、みたいな空気が出て、自分をセーブしてしまう。「障害のある人のダンス」って自分でもすごく使ってる言葉だけど、そのくくり、ほんとにいいのかなって、言ってても思うし、書いてても思うし、でもそうやらないと伝わらないし、みたいなジレンマがあります。

Morita Kazuyo
×
Osawa Torao

大澤　よく「障害の有無に関わらず」っていう言葉が出てくるときに、どういう文脈でそれを使っているのかによって、都合よく使われてしまっているときがあるなと思って、気を付けなければと思います。

森田　どの活動のときも「障害のある人もない人も」という文言を付けるかどうかという話になります。これは永遠の課題なのかもしれませんが、単に、初めての人たちが「自分たちが行っていいんだな」と思ってもらうためだけの言葉ですよね。

言語化しない余白をつくる

大澤　厚生労働省の調査研究をやってる中で出会った、とある県の職員さんの話を思い出しました。障害者の芸術活動を積極的にやっている事業所の中には、「私たちがやっているのはアートで、障害者の文化活動の発表の場とは違うんです」というような言われ方をすることがあると。その逆もあるんだろうと思います。

　行政機構の縦割りという性質は、自分たちの領域を守りたいし、ほかの領域を侵してはならないという考えで、政策自体が非常にバリアを固くしている側面があります。障害者の芸術文化活動の普及支援は、そのバリアを越えないとできないわけです。

　障害福祉はこうあるべきだとか、芸術文化振興はこうあるべきだということを、考えれば考えるほど、そのバリアが固くなる。でも、それは別に二律背反するものじゃないし、自分が分からないことを相手に教えてもらう、相手が苦手なことは自分が実行するっていう関係をつくれればいい。「分からない」っていうところで拒絶し合うことが、政策でもある気がするんですよね。分からなさの先を求めるかどうか。

　政策や制度には、余白が大事なんです。余白が少な過ぎると、関係を規定し過ぎたり、適切な距離を取れなくなるし、画一的な文脈でしか考えられなくなる。目的や目標はこうあるべきだっていうことから逃れられなくなるよりも、障害福祉でもあるけれども、芸術文化の振興でもある。逆もしかりと。政策や制度として何が言語化されるかだけじゃなくて、言語化しないものは何なのか。余白を考えることが大事なんじゃないかなっていう気がしますね。

長津　そうですよね。では、そのような場を支える人というのはどういう人なんでしょうか。かなわない、分からないと思いながら考え続けることができるプロジェクトが生まれるのだとしたら、その場はどのように支えてゆくことができるのでしょうか。

森田　私が活動している現場は、文化財団や大学など、中間に団体があったのは大きかったですし、そういった機関がきちんとお金と時間を割いてくれているから現場が成り立っています。その人たちが福祉かアートか、みたいな問いにどれだけ柔軟にいてもらえるかっていうこともすごく大切です。例えば宮崎の都城市にある総合文化ホールでワークショップの講師をやったときには、私が行くようになる前からホールに障害のある人が通っていて、すでに土壌があったので、理解をしてもらいやすかったのは大きかったですね。「障害者だ」みたいな肩ひじ張らずやっていただけたのは、すごくよかったなと思っています。

大澤　もちろんアートマネジメント的な資質も必要ですけど、今日話した中でやっぱり大事だなと思ったポイントは、関係の築き方と、距離の取り方ですね。立場や属性や個性が違う人たちと関わり合う中で、常に葛藤が起きるわけですが、どのように関わり方をつくり、どのように距離を取るのかが重要ですね。そのためには、自分の視点だけでなく、別の視点や少し広い視野で見てなきゃいけないんでしょうね。自分は今どういうポジションにいるんだろうとか、誰と誰の間に入ってるんだろうとか、アートにも寄り過ぎず、福祉にも寄り過ぎず俯瞰《ふかん》する視点を持つことが、必要だろうなと思いました。

構成＝長津結一郎

Morita Kazuyo × Osawa Torao

森田かずよ　もりた かずよ

「二分脊椎症・側弯症」を持って生まれ、18歳より芝居を始める。表現の可能性を日々楽しく考えながら、義足の女優・ダンサーとして活動。「Performance For All People-CONVEY-」主宰。ヨコハマ・パラトリエンナーレ、国民文化祭、庭劇団ペニノ、アジア太平洋障害者芸術祭など多数の公演に出演し、メディア出演も多数。神戸大学人間発達環境学研究科人間発達専攻博士前期課程修了。第11回北九州＆アジア全国洋舞コンクールバリアフリー部門 チャレンジャー賞受賞。

大澤寅雄　おおさわ とらお

文化生態観察。NPO法人アートNPOリンク理事長、日本文化政策学会理事。共著に『これからのアートマネジメント “ソーシャル・シェア”への道』（フィルムアート社、2011）、『文化からの復興 市民と震災といわきアリオスと』（水曜社、2012）、『文化政策の現在3 文化政策の展望』（東京大学出版会、2018）、『ソーシャルアートラボ 地域と社会をひらく』（水曜社、2018）。

Ⅲ

備忘録――言葉の雫、未来への光

社会包摂につながる芸術活動の中で生まれた、
デリケートで示唆に富んだ言葉の雫……。
本章ではそれらを集め、全体を一編の詩のように紡ぎました。
言葉の雫を頼りに、活動する際に大切な観点や意識を、
具体的なイメージとともに感覚的に捉えていきます。
自らの心の機微に触れ、未来へ向けた良いイメージを喚起します。

見せ方というか、受け取り方として、
障害者のやる舞台っていうのが、大前提としてあって。
それはなんとなくみんな、偽善的な目で見るというか。

なんとなく、ほんわりとした、
真綿で包《くる》まれた優しい目線で見るということに関して、
僕は、それは本当の敵だなと思う。

遠田誠「ダンサー・振付家」「演劇と社会包摂」制作実践講座 2020年度

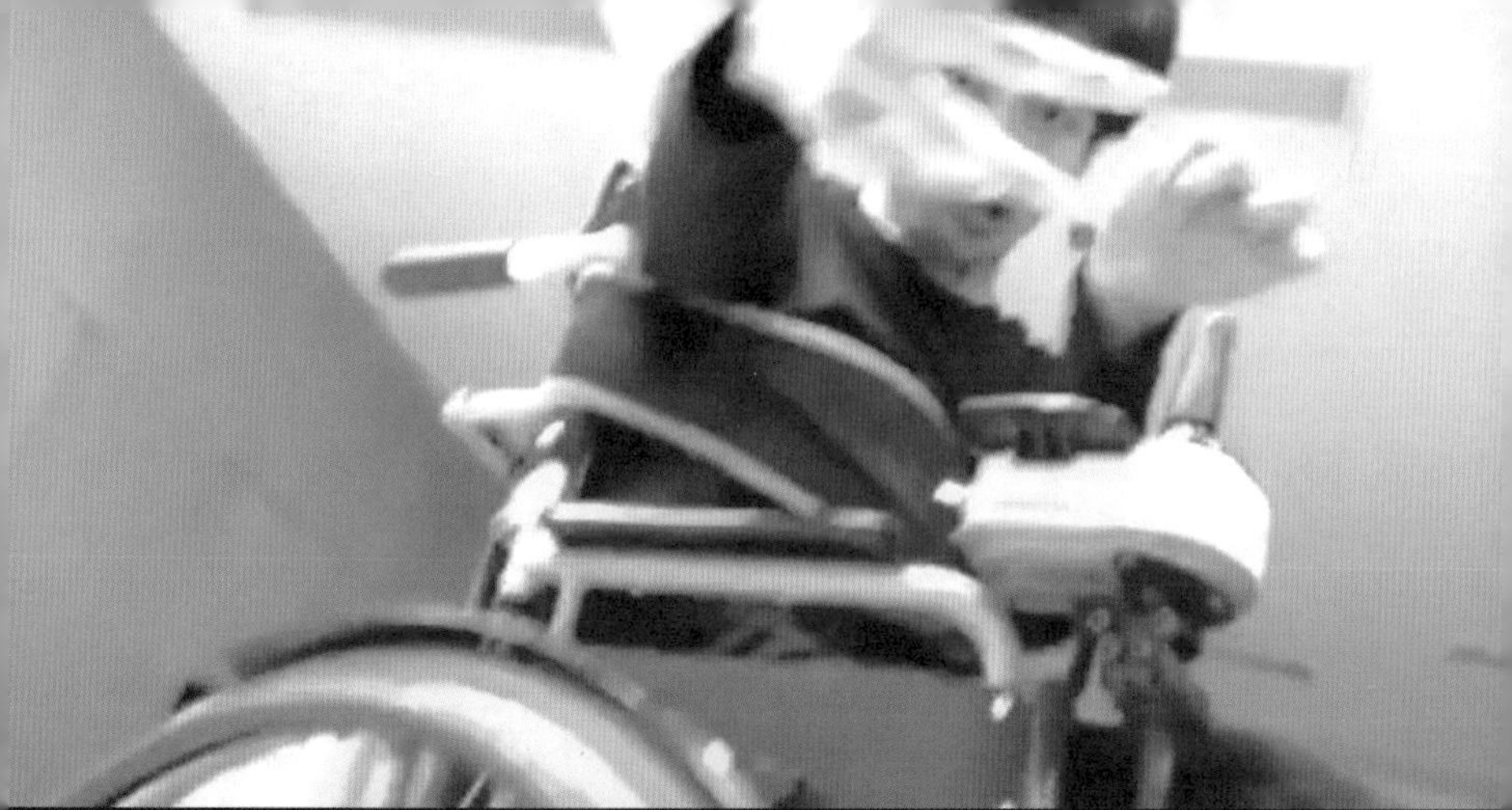

うーん、僕はそれには賛成しません。
動画は動画であのまま見せたほうがいいと思います。
僕はあの動画で完結していると思うので。

それに、僕とエンちゃんなら、動画を超えられるダンスができると思うんです！
そんなに、動画に小細工をいれなくても。

里村歩［俳優］「演劇と社会包摂」制作実践講座 2020年度

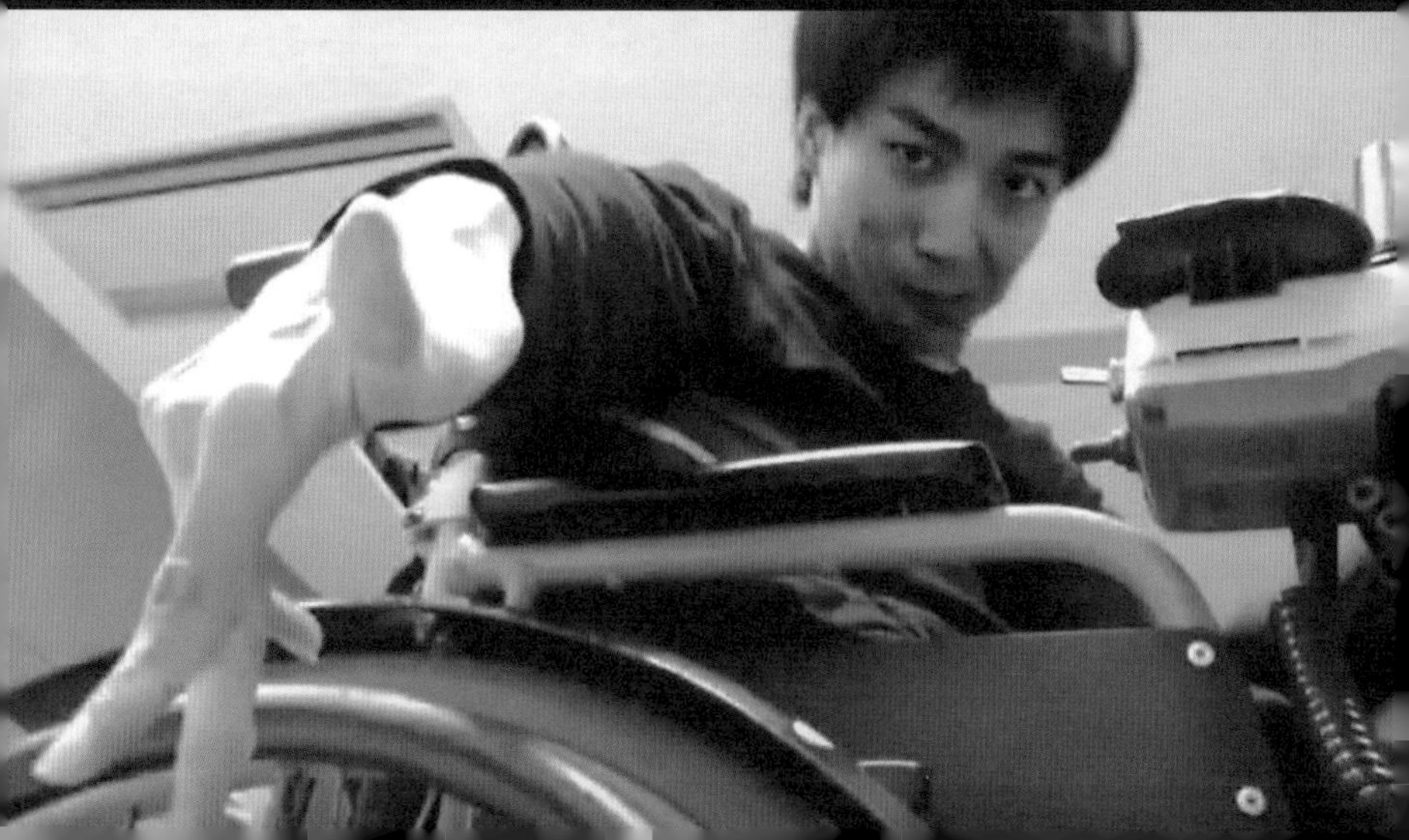

本気度の違い。

障害者であろうが
健常者であろうが、
本気度の違い。

里村歩「俳優」「演劇と社会包摂」
制作実践講座 2020年度

ふだんは「人間」って見られる前に、「障害者」が先に出る。
演劇は「一役者」として見られるから、
すごく、なんか心地いいな、と僕は思う。

森裕生［舞台パフォーマー］「演劇と社会包摂」制作実践講座 2020年度

まさみは「地蔵しか作れない」じゃなくて、
「地蔵しか作らない」っていうね。そこの違い。

山下完和［社会福祉法人やまなみ会やまなみ工房施設長］公開講座 2018年度

……なので、言葉的には、実際は服を着せているんですけど、
僕は、あれは
社会から無理やり着せられたレッテルを脱がせる
っていうテーマで撮った写真なんです。

笠谷圭見［RISSI INC. クリエイティブディレクター］公開講座 2018年度

なんで泣きそうになったんだろうな、
と思ったんですけど。
自分も何か、もっと表現したいなって。
身体じゃない何かを使って、
表現ができるのかなって……

廣田渓［俳優］「演劇と社会包摂」制作実践講座 2020年度

やっていくことによって、絶対、
障害と向かい合うことになるんで、
結構つらいこともあるんですけど。
でもそれは、
「表現で超えられる」
と自信を持って言えるので……

森田かずよ［ダンサー・俳優・Performance For All People-CONVEY-主宰］
「演劇と社会包摂」制作実践講座 2019年度

そこで、悌二《ていじ》が出したテーマが「アートは可能か」っていうタイトルね。アートは可能かっていうのは、いろいろな意味があると思うんですけども。それは、つまりアートが社会を変えられるかっていう意味もあるかも知れないし……。私はいまだに考え続けている。（ブブ）

なんか世界中に、いろいろなひどいことが起きている。でもそのとき、アーティストさんは何をしたか、っていうことがあって。アーティストさん、何もできないじゃないと言われても。じゃあ、アーティストは何もしないのかっていうわけで。（山中）

何で、彼がそれを作ったのかといったら、それはもう、作曲家として作らざるを得ない。音楽しかできないから、彼は音楽を作るしかない。「それしかできないんだよ、僕は」って彼は言ったんです。（山中）

悌二がインタビューで、どうしてAIDSを含める社会活動としてやってるんですかって聞かれて。例えば、AIDS国際会議とかにみんなで行ったりとかしたので。そういう質問をされたときに、彼は「僕としてはアートという手法でやりたい。なぜならそれが一番得意だから。だけど、なんで社会政治的な活動をするかと問われれば、誰もしないからです」って答えたんですね。つまり、社会に必要な活動を、誰もしなくて社会に足りないなら、その職業がアーティストであろうが、寿司屋であろうが、教師であろうが、気が付いた人がするしかないじゃんって。

だからそれは、アーティストである以前に、人として、この社会で足らないことをやるっていうことでしかない。（ブブ）

アーティストは、例えば影響力とか、引き付ける力とか、人を煽《あお》る力とかっていうのがあるから、それをどう使うのかっていうことは、やっぱりアーティスト自身の思想として必要だと思うんだけど。そういう教育、アーティストの専門教育も含め、それ以前の基礎教育が必要。（ブブ）

だから、議論にならないんですよ。もっと議論になるような社会にしないと何も変えられないし、何も起こらないなと思います。（山中）

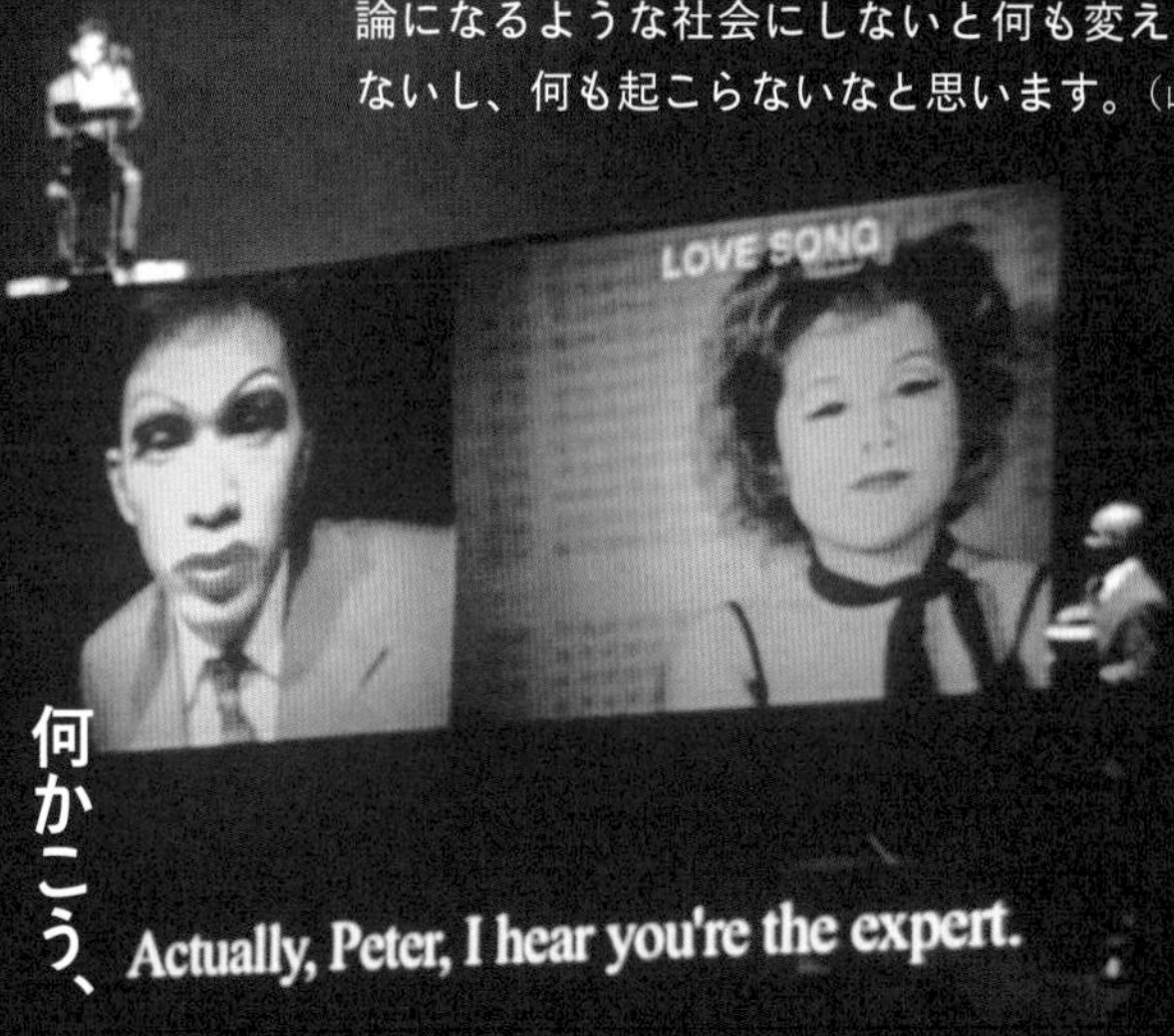
LOVE SONG
Actually, Peter, I hear you're the expert.

私らがこれから見せようとしてることは、このパフォーマーの中で一番最初に出てくるピーターが、「We are not actors, we are this...」って言ったように、アーティストである以前に男性かもしれないし、女性かもしれないし、HIVポジティブかもしれないっていう人が、あなたに何かを伝えようとしています、という観客との関係。

ダムタイプにとっては、どういうふうに他者と関係をつくれるのかっていうのが、最初からのテーマだったので。じゃあ、アーティストと観客との新しい関係……、つまり、悌二が言うように、リアリティを忘れるためにいいお話が聞きたいなって、劇場に来るんじゃなくって。

何かこう、傷つけ合うかもしれないけども。本当に私たちにとって必要なことを、やりとりするためにあるんだっていう。（ブブ）

ブブ・ド・ラ・マドレーヌ「アーティスト」公開講座 2019年度
山中透「作曲家・プロデューサー・DJ」公開講座 2019年度

私が28歳のとき、21歳だった弟の死に直面した。
死の直前に弟から、私への感謝の言葉を受け取った。
弟の死というよりは、その取り巻きの
いろいろな心の動き……
両親の心の動きや、友人や親せきの心の動きが
とても印象に残っている。死ってそういうふうに
いろんなものが動いていく瞬間なんだな、
というのが残っている。

入江東吾［受講者・インプロバイザー兼医師］
「演劇と社会包摂」制作実践講座 2020年度

ひいおばあちゃんは108歳で亡くなった。
沖縄戦の経験を、自分が小学生の頃に話してくれた。
亡くなる1週間くらい前にも、
「私の話を覚えておいて伝えていってね」と話されて、
自分の中では結構残っている。

上地安諒［受講者・九州大学大学院学生］
「演劇と社会包摂」制作実践講座 2020年度

入江さんの方は21歳の死で、
上地さんは108歳の死という、
すごく幅があるけれど、
死は死で同じはずです。
バトンを託してくださった方から
どんなことを受け取って、
また受け取ったものを持って
どのように今日までこられたのか……

吉野さつき［ワークショップコーディネーター・愛知大学文学部教授］
「演劇と社会包摂」制作実践講座 2020年度

医療が発展していなかった昔は、
20歳で亡くなると言われていました。
僕は今年でちょうどその20歳です。
そこに僕は今でも恐怖を覚えています。

廣田渓［俳優］「演劇と社会包摂」制作実践講座 2020年度

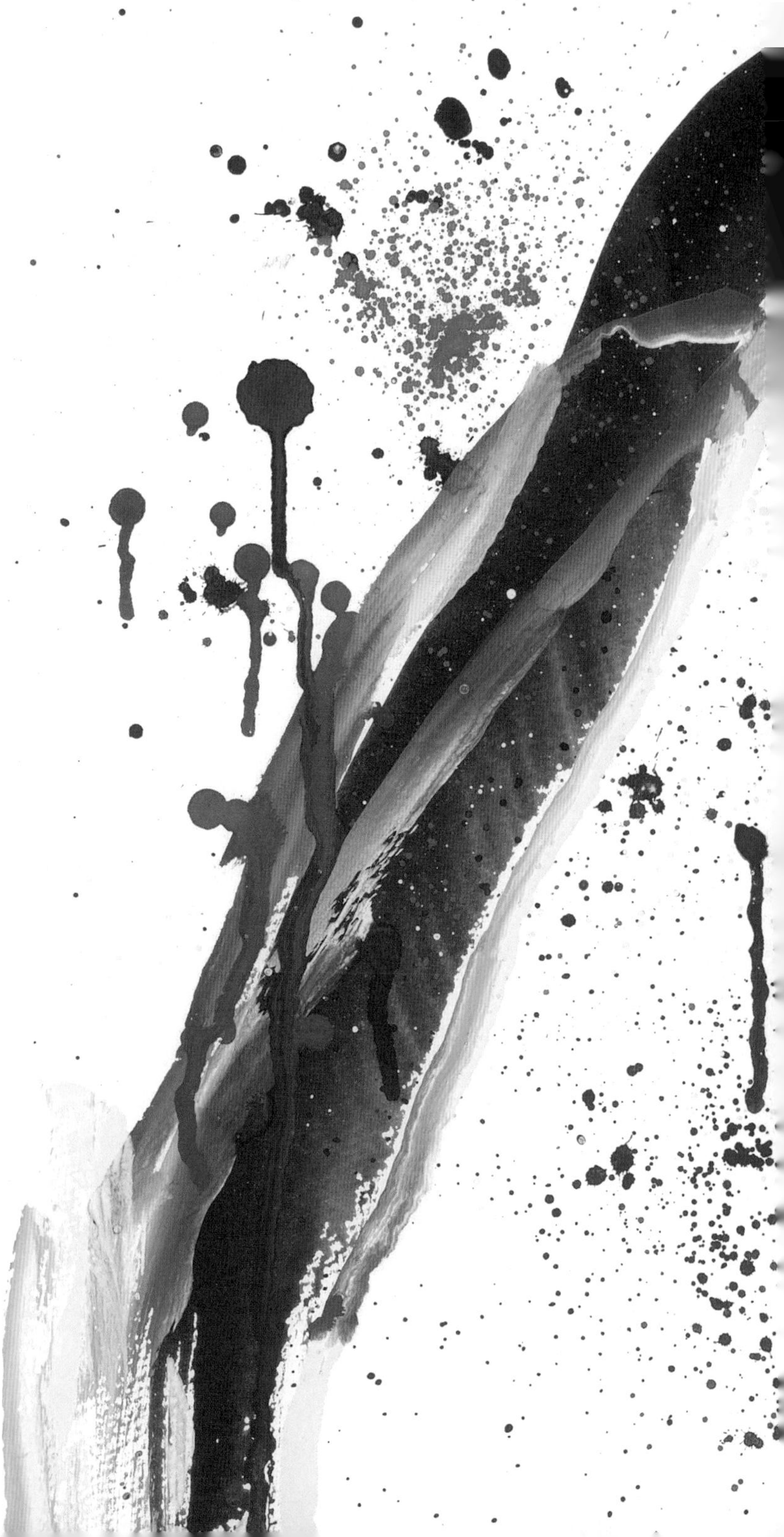

私は障害を持って生まれてきたけれども、私はありのままの、
この姿でここにいていいんだっていうことを、
とっても感じることができて。

それが、芸術がくれる幸せ。

私はそれが、演劇がくれる幸せっていう認識ですね。

小寺美咲［俳優］「演劇と社会包摂」制作実践講座 2019年度

僕は健常者の中で育ったから、
今の僕の性格や考えになったと思う。
やっぱり環境が大事じゃないかなと。
どういう環境に置かれているかで、
その人の人間性や考え方が大きく
変わってくるなと。

森裕生［舞台パフォーマー］
「演劇と社会包摂」制作実践講座　2019年度

どんな社会になっても生きていけるような人間に
なるっていうのは、私、すごく大事だと思っていて。
どんな社会にいても、どんな人たちの中にいても、
私は私であるっていうこと。
そのためには、自分っていうものを大事に、
大切に思えるように育ってほしいと思う。

大松くみこ［NPO法人産の森学舎事務局長・みつばちおうちえん園長］
公開講座　2018年度

「障害者だから」というレッテルを自分で貼ってしまって、
自信がなくなったりする。
でも、「障害を持っているから健常者とは違う」と感じることを、
変えていきたいっていう気持ちは徐々に大きくなっています。

廣田渓［俳優］「演劇と社会包摂」制作実践講座　2019年度

そもそもなんで障害のある人に、「がんばって」とか言わなきゃいけないかっていう。そこから、僕らがもう、違う見方をつくっているんでしょうね。

山下完和［社会福祉法人やまなみ会やまなみ工房施設長］公開講座 2018年度

障害者に限らず全ての人が、それぞれ「違った能力のある人」だから、「People with different abilities」という言葉を使っています。でも、その言葉を使うか使わないかは、状況によって選んでいます。

ヤン・メーリンYEUNG Mee-ling［東華三院管理補佐（香港）］
公開講座 2018年度

個人として知り合うことが、大事なんだと思う。「障害のある人」というのではなくて、「〇〇さん」と考えていくことが普通になれば……それって、僕らが生活の中で日常的にやっていることかなと思う。

宮田智史［NPO法人ドネルモ事務局長］公開ディスカッション 2019年度

僕は、
「障害者で何が悪いと？
カッコよく生きようぜ」
と思っている。

森裕生［舞台パフォーマー］
「演劇と社会包摂」制作実践講座 2019年度

仮に重度の障害のある人たちが変わらなくても、その周りでサポートする人、ケアする人たちの見方が変わったということは、大きな変化だった。その変化によって、（障害のある）彼らの生活がこれからどう変わっていくか……

ユ・ベリーニ・ガイ・テス YU Bellini Guy Tse
［東華三院シニア アート ディベロップメントオフィサー（香港）］
公開講座 2018年度

支援員として入っているというよりは、映像を撮る裏方として入っている。面白半分というか、支援員として入っているという意識は、あまりないです。
支援員というか……、まあ、お世話はするけど。

井上直己［認定NPO法人ニコちゃんの会ケアスタッフ］
「演劇と社会包摂」制作実践講座 2020年度

難しいのは、お互い、何か、
そこにずっと遠慮を抱えてしまうこともあって。
障害者側も、健常者側も、これができますと
ちゃんと言える力を持ってください。
チャレンジできる環境を、
一緒につくりましょうってことだと思います。

森田かずよ［ダンサー・俳優・Performance For All People-CONVEY-主宰］
「演劇と社会包摂」制作実践講座 2019年度

一般就労ができないとか、ほかの事業所も断られたとかね。あれ、問題行動だって言われてますけど。僕には、問題行動ってスタッフがつくり出してるんだと思えるんですけど。

山下完和［社会福祉法人やまなみ会やまなみ工房施設長］
公開講座 2018年度

障害を持っている人たちがゆがんでいるんじゃなくて、彼らを見る社会の目がゆがんでいるから、こんなことが起こっているんじゃないかって……

笠谷圭見［RISSI INC. クリエイティブディレクター］
公開講座 2018年度

ケアするっていうか……

渓とか、あゆきちとか、車椅子を降りないといけないとか、乗るとか、生活なんですよね。

私のお芝居の中では、生活を描いているから。

だからすごいいっぱい材料があって、楽しいって感じです。

そして、みんな見たいでしょ？

舞台上でそういう、車椅子に降りたり乗ったりするとか。私は、いつも車椅子に乗っている人しか見たことなかったから、へえ、そんな風にして降りるんだって、思ったりするし。

私たちも、お芝居をするときに、自分たちの生活を出したりする。ケアっていうか、それが彼らにとっての生活じゃないかなと思う。

倉品淳子［俳優・演出家］
「演劇と社会包摂」制作実践講座 2020年度

密にふれていって、さわっていって、この緊張具合は嫌なのか、どこかが痛いのかというのを、自分たちで判断しながらやっていかなければいけないんですね。それは本当に、相手との触れ合いと、お互いの信用を持ってコミュニケーションをしていくしかないんですけども……

井上直己［認定NPO法人ニコちゃんの会ケアスタッフ］
公開ディスカッション 2018年度

なんなら、ズレた方がいい。
ズレを楽しみながら、
気持ちを合わせていく。

遠田誠［ダンサー・振付家］
「演劇と社会包摂」制作実践講座 2019年度

倉品　「分かる？　寸劇の中にも出てるし、最後に出てきて最後までいます。いまいち分からないかな？　分かりにくいかな？」

たかし　……（たぶん何か返事をしたと思われる）

倉品　「なんかそのね、分かり合うのが難しいね、っていう話にしたいの。王様が出てきて『おおぅ、わかってるんだ！　間に入れてくれ!!』『OK、OK』じゃなくって。仲間に入れてくれって言うけど、誰も仲間に入れないで。最初にみんなで作った歌も、ひとみが唄うけど、分からなくて。みんな一人ぼっちで、暗転になるっていう、暗いお芝居にしようかなって思ってるの。それで最後にみんなで礼をして、お客さんがハケたらゆっくりしててくれたらいいかなと」

たかし　……（わかったと返事をしたと思われる）

倉品淳子［俳優・演出家］「演劇と社会包摂」制作実践講座 2018年度
平畑貴志［俳優］「演劇と社会包摂」制作実践講座 2018年度

知るまでが、時間がかかりますよね。

森裕生［舞台パフォーマー］「演劇と社会包摂」制作実践講座 2020年度

最初に踊ったときに、言葉はあんまり必要じゃないなと思って。踊っているときは結構、僕は挑発的に、感覚としては「タイマン」みたいな感じです。「来い、お前」みたいな感じでやって、それに思いっきり応えるあゆきち、みたいな。

遠田誠［ダンサー・振付家］
「演劇と社会包摂」制作実践講座 2020年度

その暗い音にノムさんの性格の明るさが、ピアノの明るさになって入ってきて。自分が独りぼっちだったのが、独りぼっちじゃないって語りかけているのが面白いなって。

廣田渓［俳優］
「演劇と社会包摂」制作実践講座 2020年度

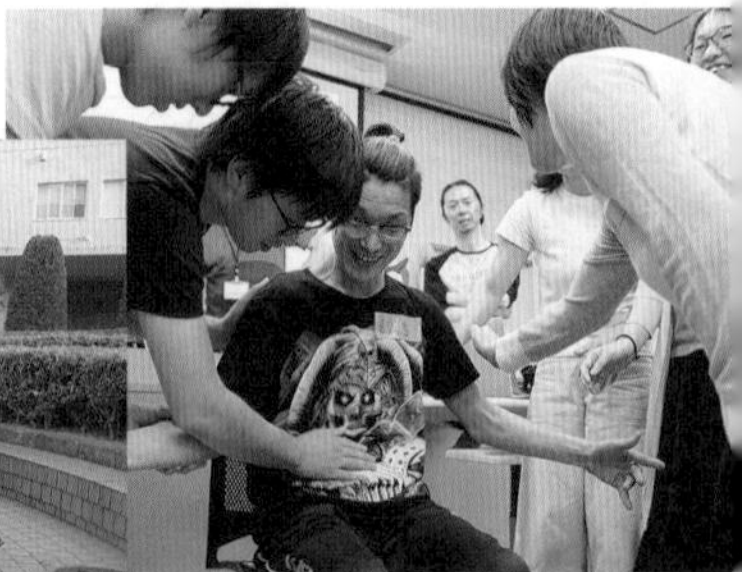

森さんを触らせてもらった経験が一番印象に残っている。いつも身体に力が入っていると聞いたので、森さんは硬い身体をした「障害がある身体」であるという思い込みがあった。でも、触ると当然温かいし、中は動いてるし、筋肉もあって、同じ身体を持つ人だと感じた。

これまで自分は、無意識のうちに障害と健常の間に境界線を引いていたんだと気づいた。その境界線はあるのかもしれないけれど、それは気づくことで、縮める方向へ動かせると思った。

中山博晶［受講者・九州大学大学院学生］
「演劇と社会包摂」制作実践講座 2019年度

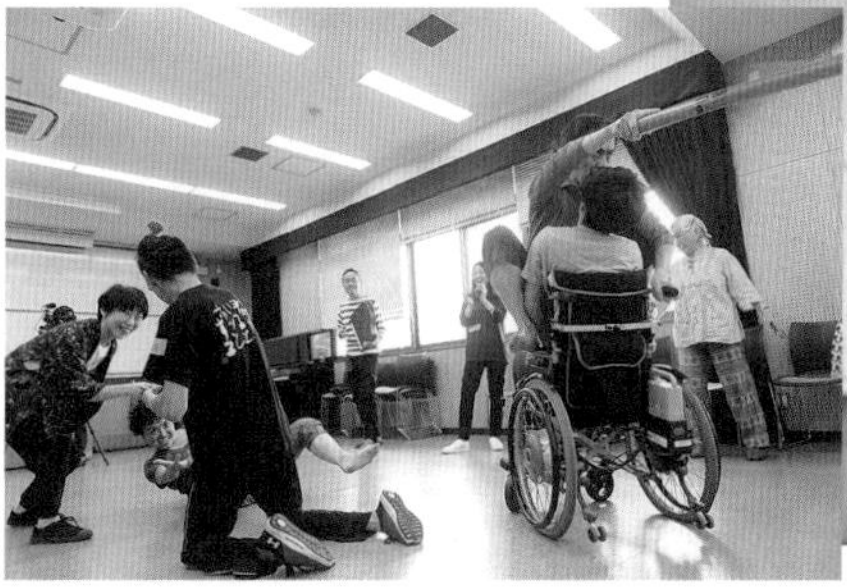

ひと括りにされることが、
やっぱり
まだまだありますもんね。

山下完和［社会福祉法人やまなみ会やまなみ工房施設長］
公開講座 2018年度

狭間に生きる

ってどういうことなんだろうって、
もう少し考えてみたら
面白いかなと思ったんです。

安聖民［パンソリ唱者］公開講座 2019年度

日本の中で差別と闘っている。
うん、拳振り上げてね。
いつもいつも頑張って、肩肘張ってね。
そういう姿だけが、
私たちの姿じゃない……

安聖民［パンソリ唱者］公開講座 2019年度

春の七草ってありますよね。

七草を、毎年、子どもたちと一緒に

田んぼで探すんですよ。

七草を見つけられるようになると、

そこは草むらじゃなくて、

もういわば食材の宝庫になるんです。

そうすると、

その他大勢じゃないんです、

全て。

大松くみこ［NPO法人産の森学舎事務局長・みつばちおうちえん園長］公開講座 2018年度

私が最初に行った日にその人が居て、ここをこうするんだよみたいな感じで教えてくれるので。
後から彼が元受刑者だと聞いたけど、もう私の中ではね、普通に仕事を教えてくれる先輩みたいな感じなので……

こっちが撮る人で、向こうは撮られる人っていう力関係が、やっぱり、ちょっと嫌だっていうのがあって。向こうからのアクションがあって、こっちもアクションがあって、それでここで写真が成り立ってるっていうふうにしたかったっていうか。

なんかこう、人間どうしだけじゃなくて、それを包むような自然の状態があるっていうことが、ストレスを解消していた感じがすごくするんですよね。
そうすると、例えば人間関係で多少何かあったとしても、そんなに大きなことではないというふうに思ったり。
多様性をこう、受け入れるというか。
そういう身体的な土壌ができちゃうのかな、みたいな感じもします。

日にちが経つと、だんだん人数が減ってくる。やっぱり来なくなっちゃう人はいるんですよ。それで最後にだいたい3人ぐらい残る感じなんですよね。
だけど、残っている人は来るし。そういう人たちがいることが、やっぱり何かしらの希望ですよね。

兼子裕代［写真家］公開講座 2018年度

歳をとって、変化していく身体も、
ちゃんと身体として
見せていくということ。

森田かずよ［ダンサー・俳優・Performance For All People-CONVEY-主宰］
「演劇と社会包摂」制作実践講座 2019年度

とにかくいつも、
本人はどう思ってるんだろうなとか、
そこに立ち返るだけですね。

山下完和［社会福祉法人やまなみ会やまなみ工房施設長］公開講座 2018年度

意味づけするものではない。
いいと思うからやる。
いいと思うから寄り添う。

受講者 公開講座 2019年度

エピソードが大事。
現場で起こっていることから
未来を想像する。

受講者 公開ディスカッション 2018年度

もっとこれからも「知る」ために、
行動します。

受講者 公開講座 2019年度

変化よりも、きっかけを探していました。
ほんの少し、まだぼんやりですが
掴《つか》んだように思います。

受講者 公開講座 2018年度

パンソリが音で場をつくるように、映像作品は、やっぱり場をつくる一つの装置だと思います。こちらから一方的に、「このことが、こうなんだ」っていう情報を出すだけではなくて。いろんな議論が始まったりとか、意見交換が始まったりとか、そういう場をつくるという。

寺田吉孝［国立民族学博物館学術資源研究開発センター教授］
公開講座 2019年度

ちょっと鈍感に、あの拠点を開き続けたっていうのがリアルなところなんですけれども。全ての方に歓迎されてるわけじゃないけれど、今はそこにいるんだね、みたいな形で……

羽原康恵［NPO法人取手アートプロジェクトオフィス理事・事務局長］公開講座2019年度

立ち上げるに当たって、不特定多数はやめようって。必ず誰か特定の人の顔が見える、それが本当に一人だけでもいいから顔が見える関係のプロジェクトしかやるまいと決めたのが、スタート。

羽原康恵［NPO法人取手アートプロジェクトオフィス理事・事務局長］公開講座2019年度

当事者にしか分からないっていうところを受け入れてしまうと、分断は深まるばかりで、どうにもなっていかないと思うわけです。そこの間を取り持つ人が何人か出てくるということが、大事なんじゃないか。そういう状況をつくっていかないと、永遠にその分断はなくならないだろうと思っています。価値の多様性を認めるために、なんとかいろんな人が対話をするとか、試行錯誤をやり続けることかなと。

中村美亜［SAL教員］公開ディスカッション2018年度

これは、農林体験に参加された中学生の感想です。
この言葉を聞かれ、地元の方からは笑顔がこぼれました。
いい言葉だな〜。
そういうところだと思うんですよね、理念を理解するというのは。
高尚なことではなくて。この村の人々が大切にしている行為、
生活というか。それを一緒にできる人というか……

朝廣和夫「SAL教員」奥八女芸農プロジェクト2018年度

ここは栗はいっぱい落ちているけれど
ごみは落ちていない。

＊　＊

今日、午後3時まで豪雨でした。朝起きて、学校の後ろの川を見ると、びっくりしました。水がすごい勢いで流れていて、岩が流されている音が、ドンドンとずっと鳴っていました。朝から、警報が何回かありました。昼ご飯を食べていたときに、2012年の水害の雨量と同じようなレベルに達したと言われていて、黒木の一部に小規模の水害が発生し、道路も封鎖したと聞きました。午前中、SALの皆さんが打ち合わせをして、安全のため、活動の1日目と2日目を中止することを決めました。とても残念だけど、自然の力を感じました。今回、農林業とアートの体験をしに来たのですが、今日の経験ほど、農山村の日常を感じられる出来事はないと思いました。

奥八女芸農ワークキャンプ日報（2019/8/29）より

コウ・シミン 高詩閔［ワークキャンプメンバー・九州大学大学院学生］
奥八女芸農プロジェクト2019年度

美しさとか、持続してきた軌跡みたいなことを、どうしたら伝えられるのかな。
継承とかも、いやいやするのではなくて。なんか、もっと渋くて派手じゃないものに、小さな宝みたいなものが結構ある。そういうものの美しさを人に伝えていったり、共有させるような仕組みをつくっていかなきゃな、と。

片岡優子［受講者・NPO法人BaRaKa代表理事］
奥八女芸農プロジェクト2018年度

During the 3 days workshop and discussion among 20 people, there are lots of impact to me about art. Art is about sustainability, art is not only about perform, but also contribute to the local, to the next generation.
（3日間のワークショップの中で20人で行ってきた議論は、私のアートに関する考え方に、とても大きなインパクトを与えました。アートは人間・社会・環境の持続可能な発展に関わることであり、また、アートは単なる表現の行為ではなく、地域への貢献、次世代への貢献を果たすものだと学びました。）
奥八女芸農ワークキャンプ週報（2018/8/24-9/1）より

アルバートKan Leung Hung Albert［ワークキャンプメンバー（香港）］
奥八女芸農プロジェクト2018年度

常識（と暗にされてきた事柄）が揺らぐ状況下で、打ち合わせや試行を重ねても柔軟性を欠いた行政の意向に覆されたり、なかなか物事が積み上がっていかないことへの徒労感はありますが、今はこれまでの既成概念を変えられるかもしれない千載一遇のチャンスではないかしら？　その中で、近代化以前から培われてきた農的生活には、このコロナ禍や付随して露わになった社会課題を越えるためのヒントが秘められているのでは……

武田力［演出家・民俗芸能アーカイバー］
奥八女芸農プロジェクト 2020年度

日常は偉大なる旅路である。

武田力［演出家・民俗芸能アーカイバー］奥八女芸農プロジェクト 2020年度

ふだんの作業や日常になってしまって、私たちは忘れてしまっているような感覚だったり。例えば山に入るとき、木を切るときに日本酒をかけるんですね、お酒をパァーっと。まあ、普通の作業で、普通にお酒をかけるよねって。アートの活動では、そういうこと一つひとつを「この作業って、何ですか?」「山の神様にお供えするんですか?」みたいな感じで掘り下げていた。

ああ、そうだな。昔の人がここに神様がいると感じて、始まったことなんだろうなと思って。こういうことがきっかけとなって、伝統芸能だったり、お祭りとか、お祈りとかそういうのが始まったんだろうなという気づきが、たくさん得られたと感じます。

アートの視点を取り入れることで、何かを忘れていく前にすくい上げることができて、何かにつなげていくことができるんじゃないかな。

原愛子［認定NPO法人山村塾スタッフ］
公開ディスカッション 2018年度

自分と違う人を理解することが目的ではない。自分を理解するための取り組みが大事。プロジェクトに期待するのは、若者との接点よりも、アートがあることで言葉なしに一緒に考えていくこと。

小森耕太［認定NPO法人山村塾理事長］
奥八女芸農プロジェクト2020年度

この地域は八女茶発祥の地で、あと何年かしたら600年祭がやってくる。いい時代もあったろうけど、まずい、どうしようもない時代もあったはず。この地域の人たちは、それを継承して、つながってきているというのが、えらく心強い……

宮園福夫［お茶農家］奥八女芸農プロジェクト2020年度

ここでいう共創は、作品を作らなくてもいいということだと思う。生活をつくれることと、生活をちゃんと自分たち自身で言語化できたり分かち合えることが起これば、作品があってもなくてもよい。
無理に表現に起こさなくてもよい。
社会に提示していく、態度、規範、コミュニティのようなものができればよい。

長津結一郎［SAL教員］奥八女芸農プロジェクト2020年度

Photo: Akiko Tominaga

豪雨で土の表面が大きく削れた影響で、
何百年 何百万年？　も地中に眠っていた土が、今、地表に現れている。
そこには、何百年も前の植物の種が眠っているかもしれない。
絶滅したと思われている植物が、
何十年ぶり、何百年ぶりに生えるかもしれない。

柳和暢［現代美術作家・共星の里アートディレクター］九州北部豪雨災害復興支援 2018年度

この岩は、ここに来てくれた
お客さんだと思っている。

石には石心《いしごころ》があります。その心を読まなければいけません。

枡野俊明［曹洞宗徳雄山建功寺住職］
九州北部豪雨災害復興支援 2018年度

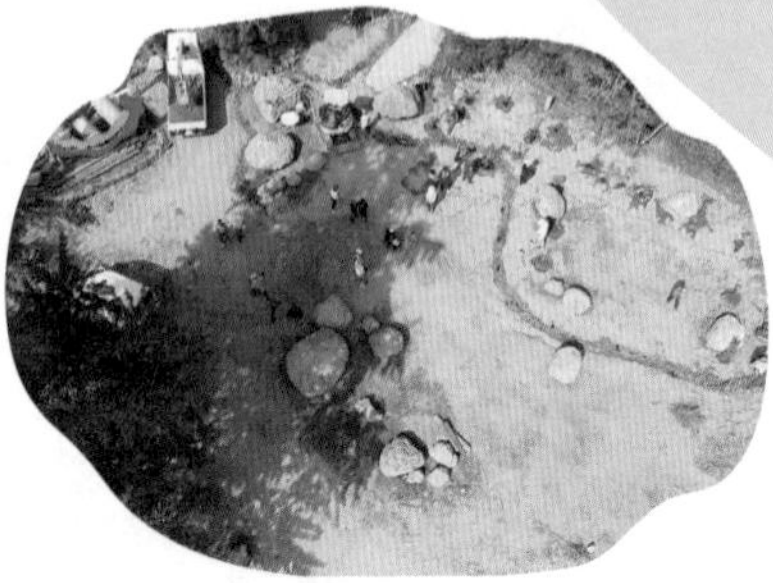

今回の石は、
「災害で見えないものが長い年月に現れて、再び生きる」というような
現れであると思います。
そういうことを「感ずる」場になったら。
被災された方や多くの方々が、
この場にふらっとお見えになって、
「元気になった」と帰っていかれる。
そのような「こころの居場所」に
なっていければなって考えています。

尾藤悦子［共星の里ゼネラルマネジャー］
九州北部豪雨災害復興支援 2018年度

形を、完全なるものを一回、壊しちゃう。
そこに作り手の精神性や人間性を注ぎ込める。
そして、
「ああ、この抹茶の茶碗、この形、これはもう、
私そのものだ」
と思ったときに手をはなす。
「はなす」のではなく、「手が、はなれる」。
そういうものが「最も美しい」と言われる。

枡野俊明［曹洞宗徳雄山建功寺住職］
九州北部豪雨災害復興支援 2018年度

木に手を触れて植樹をやってたら、
すごく愛着が湧いてきて。
しまいには、声を掛けちゃうぐらい
好きになっちゃって……
いつか、大きくなったところを
見てみたいです。

逆瀬川陽介［受講者・九州大学学生］
九州北部豪雨災害復興支援 2019年度

木を植えると、
すごく未来を意識するんだな、と。
「これで終わり」じゃないんだな、って。

志水健一郎［受講者・九州大学大学院学生］
九州北部豪雨災害復興支援 2019年度

ホタルの再生は、黒川の地元住民の方々にとっての希望ですし、私もそうなって欲しいという希望を込めた表現をして物語は終わっています。
毎回思うのは、あそこの空間は、すごく温かいです。今回も、ふだんいる場所とは違う空気を感じながら、より気持ちがこもった作品が作れたなと思います。

口羽雅晴［作品制作・九州大学学生］
九州北部豪雨災害復興支援 2020年度

「時間の流れを感じる」というコンセプトで作ったんですが、屋外で展示をしてみると、今まで気づかなかった虫の鳴き声が聞こえたり、風の音が聞こえたり、そういう自然の音に改めて気づかされたなと。僕は、来年は就職で福岡を離れてしまうんですけど、これから先も同じように「共星の里」という場所で新しい作品を上演したり、来年以降もつながりを大切にして作品を作っていきたいと思います。共星の里という場所、黒川、朝倉という場所を、いつもずっと気にしているようにしたいと思っています。

密岡稜大［作品制作・九州大学大学院学生］
九州北部豪雨災害復興支援 2020年度

神でない私たちに何が創造できるんだろうという引っかかりに、ヒントが得られた想いです。
美は自然に倣う事で生まれてくるものだと。

田中里佳［受講者・デザイナー］九州北部豪雨災害復興支援 2018年度

アートも共生社会も、人間性の「間」に存在する点は似ているようで、どちらも存在の形を確認できないもの。

全体を通して、アートというときにみんなが共通して考えているのは、幸せのイメージなのかなと思うのです。幸福であること。

その幸せとは、自分がインフルエンスを与えていたり、自ら発したものが形になっていくプロセスの中で、あ、私は居ていいんだという、自己肯定感を得るような、そう心が動くこと。

心が動くアートの根もとには、クリエイティビティがある。創造するという。押し付けられたことをやることは苦痛なのに、自ら考えれば楽しかったり。みんなで考え合わせてやろうって始めたこと、今までにないものが生まれてくることを、共に喜ぶのは楽しい。

今までになかった幸せをつくっていこうというとき、触手が伸びるように根っこが伸びていって、別の根っこと重なる部分を増やしていく。根っこ、葉、枝が重なっていくような、そういうことが、私が考える「共生」じゃないかな。「出会わないものが、出会っている」という。これがアートの魅力なのかなと。抽象的ですけど、そんなことを思いました。

知足美加子［SAL教員］
公開ディスカッション 2018年度

今回のコロナで、僕は思いました。

もし、僕たち障害を持った役者が、
100%の力でお芝居を演じることが
できたら、多分健常者の役者さんに
勝つんじゃないかなと。
伝えるパワーは、もしかしたら
もしかするんじゃないかと。

森裕生［舞台パフォーマー］「演劇と社会包摂」制作実践講座 2020年度

みんな使っているから、機能や操作方法を知っているのは当たり前と思ってしまっていることがある。「みんな知ってますよね」って進めそうになったら声をかけてください。みんな知っているのが当たり前というふうになると、それを知らない人にとっては、「全然意味が分かんないんですけど」ってなる。

アクセシビリティってそういうことだと思う。

野村誠［作曲家・ピアニスト］「演劇と社会包摂」制作実践講座 2020年度

せっかく作ってきたのに動画が映らなかったから、なんとかやろうとしてて。それをみんなで、じーっと待ってたの。私は、それがいいなと思って。Zoomとか使ったら、なんでもできるというわけじゃなくて、やっぱり難しいんだなと思った。難しくてもコミュニケーションしたいから、まあ、待つじゃない。そういうのがいいと思うんですよね。

長い人生、待つ時間があってもいいじゃない、って。

倉品淳子［俳優・演出家］「演劇と社会包摂」制作実践講座 2020年度

インターネットを介すっていうのも、ある種、身体化できれば。インターネットは道具なのか、本当に身体の一部になっていくのか、みたいな。僕はピアノを弾いていると、ある種自分の拡張された身体みたいになっていく。そういう意味では、ここからここまでが身体で、そのほかは自分の身体じゃないっていうよりは、オンラインっていっても、ここの先までが自分の身体みたいな感覚もあり得るのかなって……

野村誠［作曲家・ピアニスト］「演劇と社会包摂」制作実践講座 2020年度

オンラインであっても、オフラインで直接会うワークショップであっても、「余白」のような、偶発的に何かが起きる部分があるのとないのでは全然違う。それはどちらでも大事なんだなって思った。ただ、偶発的な何かの起こり方が、オンラインとオフラインでは違うのかなと思った。

吉野さつき［ワークショップコーディネーター・愛知大学文学部教授］
「演劇と社会包摂」制作実践講座 2020年度

オンラインならではのトラブルはあったんだけど。そのトラブルで起こったことから新たな表現が生まれて、オンラインならではの表現の魅力につながることが、随所で起こっていたなぁと感じた。

村谷つかさ［SAL学術研究員］「演劇と社会包摂」制作実践講座 2020年度

コロナ禍によって対面の場で実施することが難しい中、この講座を通じて私たちが本当にやりたかったことって何だろう？って、活動の目的をもう一度捉え直すことが必要だと考えた。そうすれば、その目的に向かって、オンラインという場でどのような工夫ができるだろう？　と、発想していけると思った。

村谷つかさ［SAL学術研究員］「演劇と社会包摂」制作実践講座 2020年度

地域全体に対してアートができることっていうのは、あまりないと思っています。アートにできることは、各個人がアートって呼ばれているものに参加することで、今まで持っていなかった考え方が得られたり、自分はこういうものが好きだということに気づけたり、自分の中の感覚が広がっていくようなことが起きること。そのようなことが、個人に起きる可能性を強く持っているので、アートが地域の中で行われることに可能性があると思っています。

羽原康恵［NPO法人取手アートプロジェクトオフィス理事・事務局長］
公開講座 2019年度

アートによる学びが三つあったなと思います。【入り口】入り口が多様であること。動機や社会的立場が異なっていても、その場に参加できるというアートの特性があるということ。【余白】未知なものを創造する中で、試行錯誤できる時間や空間がその場に現れているということ。【もやもや】すぐには言葉にできない中で、今後の宿題として、どこかでまたふと出てくることかもしれない「もやもや」を持ち続けることが、次への活動につながっていく原動力になりうるということ。

そして、共に生きる社会へのつながりというところで、やはり表現する側だけじゃなくて、表現を支える側も多様であることを、いかに考えていくのかということが今後の課題だなと感じています。

宮本聡［SALテクニカルスタッフ］
公開ディスカッション 2018年度

面白いっていう感覚自体が、主観的。いろんな面白がり方があっていい。
いま欠けているものは、批評だと思う。批評が起きてくることが必要だと思っている。言葉にできる人を育てることや、いろんな人の視点で書いてもらって、批評の在り方が醸成されることが必要だと思う。

吉野さつき［ワークショップコーディネーター・愛知大学文学部教授］
「演劇と社会包摂」制作実践講座 2020年度

マイノリティ／マジョリティの解体、淡くなった先には、「私」を私自身が決めなければならないという自由と責任みたいなものがあると思います。
アートは、そういうつらさも流動化して、柔らかくしてくれる力があるのでは……

受講者［学生］公開ディスカッション 2018年度

アートのすごいところっていうのは、
愛という存在の拠点をつくれるということ。

知足美加子［SAL教員］公開ディスカッション2018年度

「備忘録―言葉の雫、未来への光」登場者プロフィール

※50音順、プロフィールは発言当時のもの

朝廣和夫　あさひろ かずお
九州大学大学院芸術工学研究院准教授
博士（芸術工学）。専門は緑地保全学。九州芸術工科大学芸術工学部環境設計学科卒業後、同大学院、民間企業を経て母校に戻る。
p.118, 119

アルバート
Kan Leung Hung Albert
ワークキャンプメンバー（香港）
香港出身、在住。香港城市大学で建築を学び、現在は建築アシスタント。ハイキングやキャンプ、写真などを通じて自然環境に親しむ。アートと農業を掛け合わせたプロジェクトに魅力を感じている。
p.121

安聖民　アン ソンミン
パンソリ唱者
大阪市生まれ。1998年韓国留学。2002年漢陽大学音楽大学院国楽科修士課程修了。重要無形文化財第5号パンソリ『水宮歌』技能保有者である南海星に師事し、2016年に履修者認定。
p.108, 109

井上直己　いのうえ なおみ
認定NPO法人ニコちゃんの会ケアスタッフ
ニコちゃんの会で障害者の生活支援や活動支援を行っている。2018年の「身体的にバラエティあふれるひとたちの演劇公演『走れ！メロス。』」にスタッフ・出演者として参加。
p.98, 101

入江東吾　いりえ とうご
インプロバイザー兼医師
修猷館高等学校卒業、中央大学文学部哲学科社会学専攻。地域社会学と民俗学の聞き取り調査を行い、帝京大学医学部大学院を経て脳神経内科医に。その後、インプロ（即興）を学び、現在に至る。
p.90

上地安諒　うえち あきら
九州大学大学院学生
沖縄県那覇市生まれ。大学院では建築計画を専攻し、主に文化施設の在り方や周囲との関わりに関心を持つ。大学院の開講科目がきっかけで、SALのオンラインワークショップを受講。
p.90

遠田誠　えんだ まこと
ダンサー・振付家
日常の間にダンスをねじ込む「まことクラヴ」、閉鎖空間での実験舞台「エンドルフィン」ダンスを介して街の魅力を浮き彫りにする「“街”（ガイ）ダンス」シリーズを主宰。
p.82, 102, 106

大松くみこ　おおまつ くみこ
NPO法人産の森学舎事務局長・みつばちおうちえん園長
2011年に友人らと、子どもと自然な暮らしを楽しむ「みつばちおうちえん」を設立。2015年に夫らと、「産の森学舎」を設立。豊かな自然の中でのクリエイティブな学びが注目を集める。
p.95, 109

尾藤悦子　おとう えつこ
共星の里ゼネラルマネジャー
2000年から、母校でもある山里の廃校を利用した「共星の里 黒川INN美術館」の立ち上げ・企画・運営を行う。2011年に創作服「Kien」を立ち上げ、ファッションデザイナーとしても活躍中。
p.128

笠谷圭見　かさたに よしあき
RISSI INC.クリエイティブディレクター
障害者施設で生み出される創作物の魅力を社会に発信するプロジェクト「PR-y」を主宰。国内外のギャラリーや研究機関・教育機関などとの橋渡しを手がける。
p.87, 100

片岡優子　かたおか ゆうこ
NPO法人BaRaKa代表理事
障害者福祉、地域振興をテーマに長崎県五島市を中心に活動する。SLOW CAFE「たゆたう。」経営、五島の小さな宝石箱ウェブ「shimania」設計者。特技は「釈迦に説法」。
p.121

兼子裕代　かねこ ひろよ
写真家
カリフォルニア州オークランド在住。サンフランシスコ・アート・インスティチュート修士課程修了。2009年に家族の入浴を撮った《センチメンタル・エデュケーション》でサンタフェ写真賞受賞。
p.110, 111

口羽雅晴　くちば まさはる
九州大学学生
芸術工学部芸術情報設計学科に所属。「共星の里」の庭園植栽提案に関わる。庭園にて上演したアート作品《共生-tomoiki-》(2019、2020)の作・演出。
p.130

寺田吉孝　てらだ よしたか
国立民族学博物館学術資源研究開発センター教授（現職は同博物館名誉教授）
マイノリティ集団の音楽文化に関する映像番組の制作に関わりつつ、音楽研究における映像音響メディアの可能性を検討している。制作番組に『怒―大阪浪速の太鼓集団』（2010）など。
p.116

知足美加子　ともたり みかこ
九州大学大学院芸術工学研究院教授
筑波大学大学院芸術研究科（彫塑）修了。博士（芸術学）。木や鉄などの実材を使った彫刻作品の制作研究、修験道美術研究などを行う。
p.132, 141

長津結一郎　ながつ ゆういちろう
九州大学大学院芸術工学研究院助教
専門はアートマネジメント、文化政策学。東京藝術大学大学院修了、博士（学術・東京藝術大学）。アートと社会包摂に関する研究を行う。
p.125

中村美亜　なかむら みあ
九州大学大学院芸術工学院准教授
専門は芸術社会学。東京藝術大学卒業後、米国ミシガン大学などで学ぶ。アートの場のつくり方、ファシリテーションの方法、芸術文化の価値と評価、多様性と包摂性などに関心がある。
p.117

逆瀬川陽介　さかせがわ ようすけ
九州大学学生
芸術工学部芸術情報設計学科に所属。「共星の里」の庭園植栽計画で、コンピュータグラフィックスを使い模型を制作。また、庭園でプログラミングを使ったアート作品を上演。
p.129

里村歩　さとむら あゆむ
俳優
突然、原因不明の歩行・言語障害を発症。2014年より、俳優としての活動を開始。2016年の演劇公演『BUNNA』以降、俳優として継続的な活動を行う。
p.83, 84

志水健一郎　しみず けんいちろう
九州大学大学院学生
ランドスケープデザインを専攻。芸術工学府でアートやデザインを学びながら、緑地保全学研究室に所属して、豪雨災害被災地の森林や果樹園を対象に研究を行う。
p.129

武田力　たけだ りき
演出家・民俗芸能アーカイバー
欧米で活動後、過疎化の進む滋賀県朽木古屋集落の「六斎念仏踊り」の継承に関わる。民俗芸能の構造から現代社会を思索する観客参加型作品を展開。
p.122, 123

田中里佳　たなか りか
デザイナー
グラフィックデザイナー、イラストレーター。「mofudesign」主宰。地域振興、子どもに関わるデザインなどを手がける。主な仕事に「麦秋カフェ」（佐賀市）「福岡よる旅」（福岡市）など。
p.131

倉品淳子　くらしな じゅんこ
俳優・演出家
「劇団山の手事情社」所属。「綾瀬シニア劇団」プロジェクトリーダー。観客参加型演劇、他分野や多様な身体性を持つアーティストとの作品づくりなど、演劇の可能性を広げる活動を行う。
p.100, 103, 135

高詩閔　コウ シミン
九州大学大学院学生
台湾の大学で建築を学んだ後、九州大学で環境デザインを専攻。2018年の奥八女芸農プロジェクトに参加。里山環境における農のある暮らしとアートの関係について、参加者の視点から研究を行う。
p.120

小寺美咲　こでら みさき
俳優
小学生のときに舞台俳優を夢見る。2015年に演劇公演『BUNNA』を観劇し、「すっごい演劇アートプロジェクト」の一員に加入。『走れ！メロス。』（2018）では、メロス役の一人として出演。
p.94

小森耕太　こもり こうた
認定NPO法人山村塾理事長
大学時代に山村塾の活動と出合い、2000年からスタッフとして現地に移住。農林家と連携し、里山保全活動、都市農山村交流活動を企画運営。
p.125

密岡稜大　みつおか りょうた
九州大学大学院学生
静岡県生まれ。芸術工学を専攻。coconos名義で主に音・映像・プログラミングを使って幅広くクリエイター活動を行う。母方の実家はお寺で、祖父、叔父は僧侶。
p.131

宮園福夫　みやぞの ふくお
お茶農家
福岡県八女市黒木町笠原地区生まれ。認定NPO法人山村塾の元・代表、現在は理事。兵庫県で会社員として勤務後、Uターン。以来40年以上お茶農家。
p.125

宮田智史　みやた さとし
NPO法人ドネルモ事務局長
福岡生まれ。2012年に、「自分たちの暮らしを自分たちでつくる」文化的な社会を目指して、高齢社会のコミュニティづくりに取り組むNPO法人ドネルモを設立。
p.96

宮本聡　みやもと さとし
九州大学大学院芸術工学研究院テクニカルスタッフ
九州大学大学院人間環境学府単位取得退学。修士（感性学）。専門は教育人類学。2019年度より、九州大学大学院人間環境学研究院助教に着任。
p.138

村谷つかさ　むらや つかさ
九州大学大学院芸術工学研究院学術研究員
九州大学大学院修了、博士（芸術工学）。デザイン・福祉・アートの視点から包摂的な社会のデザインに関する実践・研究を行う。2021年度より、同大学院特任助教。
p.137

平畑貴志　ひらはた たかし
俳優
やんちゃな10代を過ごし、20歳で脊髄小脳変性症を発症。その後も精力的に陶芸や演劇などの表現活動を行う。最後まで自分らしく、心豊かな人生を生き抜いた男前。享年45。
p.103

廣田渓　ひろた けい
俳優
筋ジストロフィーにより身体が徐々に筋力低下していき、10歳で歩けなくなる。2015年に演劇公演『BUNNA』と出合い、表現することに興味を持ち、2016年から本格的に俳優として活動を始める。
p.87, 91, 95, 106

ブブ・ド・ラ・マドレーヌ
BuBu de la Madeleine
アーティスト
ダムタイプのパフォーマンス《S/N》（1994〜96）に出演。HIV/AIDSとともに生きる人々やセックスワーカー、女性、セクシュアルマイノリティ等の健康と人権に関する市民運動にも携わる。
p.88, 89

枡野俊明　ますの しゅんみょう
曹洞宗徳雄山建功寺住職
多摩美術大学環境デザイン学科教授、庭園デザイナー。禅の思想と日本の伝統文化に根ざした「禅の庭」の創作活動を行い、国内外から高い評価を得る。ベストセラー著書多数。
p.128, 129

中山博晶　なかやま ひろあき
九州大学大学院学生
九州大学大学院人間環境学府修士課程修了。現在、同大学院博士後期課程在籍。専門は社会教育・生涯学習。表現や社会包摂に関心を持つ。
p.107

野村誠　のむら まこと
作曲家・ピアニスト
インドネシアと日本で上演される度に変化するガムラン作品《踊れ!ベートーヴェン》（1996）や、マルチメディア作品《老人ホーム・REMIX》（2010、2012）など、分野を横断し人と出会う。
p.135, 136

羽原康恵　はばら やすえ
NPO法人取手アートプロジェクトオフィス理事・事務局長
大学院在学中に取手アートプロジェクトに関わり、2007年より公益財団法人静岡県文化財団に勤務。家族を持つことを機に取手に戻り、2010年より現職。
p.117, 138

原愛子　はら あいこ
認定NPO法人山村塾スタッフ
大学在学中に山村塾と出合い、里山保全活動に関心を持つ。環境調査業務、長崎県小値賀島での自然体験事業に従事したのち、2016年より現職。交流体験活動と広報を担当。
p.124

掲載写真撮影者

※50音・アルファベット順。撮影者名のない写真は、SALスタッフやイベント関係者によるもの

兼子裕代
p.110, 111
※「GARDEN PROJECT」シリーズ写真作品より

富永亜紀子
p.88, 89, 97, 100, 101, 103, 106, 107, 116, 122* 上段中央・左端, 124, 125

長野聡史
p.126, 127, 128* 上端写真以外, 129, 130, 131, 133

藤木秀一
p.128* 上端写真

山下完和
p.86

Kan Leung Hung Albert
p.122* 上段右端、下段右端・中央

Ku Sin Shan
p.118, 119, 123

Richard Butchins
p.112

*

作品名クレジット

p.88
『ダイヤモンド・アワー』
制作・監督：D・K・ウラヂ、1994年

p.89
Dumb Type, *S/N*
ダムタイプ《S/N》

※2点とも、スクリーン撮影した映像の作品名

山中透　やまなか とおる
作曲家・プロデューサー・DJ
学生時代、京都を中心に実験音楽系のフィールドで活動し、マルチ・メディア・パフォーマンス・グループ「dumb type」の立ち上げに参加し、音楽と音響を担当。
p.88, 89

ヤン・メーリン
YEUNG Mee-ling
東華三院管理補佐（香港）
香港で150年の歴史を持つNGO東華三院で、アートプログラム「i-dArt」を設立し、「異なる能力を持つ人のための芸術活動」に取り組む。
p.96

ユ・ベリーニ・ガイ・テス
YU Bellini Guy Tse
東華三院シニア アート ディベロップメントオフィサー（香港）
「i-dArt」の設立と発展に関わる中、アートの可能性も探り続けている。ソーシャリー・エンゲージド・プラクティショナー（社会的関与の実践者）。
p.98

吉野さつき　よしの さつき
ワークショップコーディネーター・愛知大学文学部教授
公共ホール勤務、英国での研修後、教育、福祉などの現場でアーティストによるワークショップを数多く企画。アウトリーチ事業などの企画運営を担う人材育成にも、各地で携わる。
p.90, 137, 139

*

ドローイング作者

里村歩　p.81
廣田渓　p.92-93

森裕生　もり ゆうき
舞台パフォーマー
先天性脳性麻痺による四肢体幹障害という才能があり、講演家・プロマジシャン・役者などの顔を持つ。2016年に、自称伝『まるはだか～脳性まひプロマジシャン Mr. Handy 誕生の日～』を出版。
p.86, 95, 97, 105, 134

森田かずよ　もりた かずよ
ダンサー・俳優・Performance For All People-CONVEY-主宰
先天性の障害（二分脊椎症・先天性奇形・側弯症）を持って生まれる。18歳より表現の世界へ入り、あるときは義足をつけ、あるときは車椅子で舞台に立つ。現在はフリーで活動。
p.87, 99, 113

柳和暢　やなぎ かずのぶ
現代美術作家・共星の里アートディレクター
国内外で個展やライブペインティングを行うほか、音楽家・喜多郎のライブツアーやアルバムジャケットのアートワークを手掛けるなど幅広く活動を行う。
p.126, 127

山下完和　やました まさと
社会福祉法人やまなみ会やまなみ工房施設長
1990年に「アトリエころぼっくる」を立ち上げ、互いの人間関係や信頼関係を大切に、個性豊かに自分らしく生きる事を目的に様々な活動に取り組む。2008年からやまなみ工房施設長。
p.86, 96, 100, 108, 114

Ⅳ 現場から立ち上がる言葉

社会包摂につながる芸術活動の各現場において、
アートマネジメントとはどのような意味を持つのでしょうか。
本章では、三つのフィールドで実施した活動について、
それぞれの活動を主導した研究者たちが論考し、自らの実感を基に言語化しています。
各活動の軌跡を通し、場をマネジメントする際に要となった思考に触れます。

手あてとしてのアート

知足美加子（彫刻）

はじめに

何らかの喪失、分断や破壊、「昨日とつながらない今日」を生きる人々を前にして、アートにできることはあるのだろうか。苛烈になる自然災害、新型コロナウイルス感染症（COVID-19）拡大状況、見通せない未来への不安と無力感。私のアート活動をふりかえると、そのような無力感に対する何らかの「手あて」であろうとしているようだ。それは医学的処方というよりは、文字どおり「手をあてる」である。実際に手をあて、感じる。触れている自分の手の範囲から、対象に伝わるだけのあたたかさを届ける。正確には、届けようとする態度や行動、あがきである。それを対象がどう受け止め、展開していくのかは想定できない。「手あて」とは、一種の祈りや、無償の贈与に近い。

本稿は、ＳＡＬの復興支援プロジェクト「黒川《くろがわ》復興ガーデンとバイオアート―英《ひ》彦《こ》山《さん》修験道《しゅげんどう》と禅に習う―」を中心に、社会包摂とアートについて論じるものである。具体的には、九州北部豪雨災害（２０１７年）の復興支援のためのアートガーデン制作、被災木を再活用した東屋《あずまや》制作、復興支援団体紹介小冊子制作、アート活動のライブ配信について紹介し、見いだされた課題と知見を共有したい。これは、災害という亀裂によってダメージを受けた環境やコミュニティ、心のレジリエンスに、アート（美、創造性）がなしえる「手あて」を探した軌跡である。アートは、「絶望」に真に向き合うと、文脈主義闘争や経済システムを透過して、人間そのものが存在できる場を求めていく。本活動が人、植物、微生物など「いのちあるもの」を中心に展開したのも、その潜在的な希求なのだろう。環境と身体、そして心に宿るいのちが生きのびる方向への模索である。特に心のいのちを養うためには、創造する主体であるという自信、その喜びを分かち合うことが必要だと私は考える。

活動をふりかえる前に、これらが自然災害だけでなく、コロナ禍状況（2020年〜）において展開したことを記しておきたい。自粛生活の中で、いのちのイメージは「おびやかされるもの」として語られ、生死の前において、アートは次第に無力化していくように感じられた。この時期、私は偶然テレビに映し出された医学出身の美術家、ヴォルフガング・ライプの言葉と映像に救われた。彼は20年以上かけて集めた花粉を作品の素材にしている。

（前略）危機は大きければ大きいほど／人類に新しい未来をもたらし／どこかほかの場所へ向かい／ほかの何かを見つける手助けをしてくれた／想像しえたものの彼方に／私たちは見つける／新しいありようと生き方を／私たちが望むものと／私たちが人生に望むもの／大切なことと／そうでないこと／慎ましさ／謙虚さ／自分自身とほかの人たちに対する／世界に対する／自然に対する／宇宙に対する／まったくちがう関係／自分自身と世界への異なる願い／新しい未来の新しいヴィジョン[*1]

ライプの言葉から、コロナ禍や自然災害への不安の根底には、目に見えないものによって「対象との関係性が変容することへの恐れ」があるのだと気づかされた。只管《ひたすら》に花粉を集める彼のふるまいの先には、光にあふれた野原の草花が揺れ、染み入るように美しかった。変わらぬ植物の営みの静けさと、鎮魂の相があった。そしてそこには自然の循環は未来に続くという予感があり、その恒常性と永遠性に心が支えられた。私が復興支援の核にガーデンを配したことに通底する願いを感じた。

復興ガーデンの共創

「被災地」や「地域社会」という言葉について、その現実の全てを網羅できないことをまず確認しておきたい。それらは無数の経験、記憶から生まれる動的なイメージが重なり合って存在する。もちろん現実も含むが、人間の意識の「場」もさす。だからこそ現地に足を運び、少しでも想像力の枝葉を伸ばし、意識の網目を増やすことが重要だと私は考えている。メディア情報のみでは、報道量が減ると問題解決したかのような錯覚をしてしまう。この「黒川復興ガーデンとバイオアート―英彦山修験道と禅に習う―」の活動も、地域内外の方々と「現場で感じることから始める」という現地研修（２０１８年７月）から始動している。

２０１７年の九州北部豪雨災害では、山地崩壊により約１０６５万立方メートルの土砂と、約21万立方メートルの流木が発生した。福岡県朝倉市、東峰村（朝倉郡）、添田町（田川郡）、大分県日田市は激甚災害指定されている。被災地では自然環境、特に木に対して負の感情が向けられがちだった。朝倉市の廃校利用の美術館「共星《きょうせい》の里 黒川ＩＮＮ美術館」には、流木だけでなく大量の巨石が流れ込んだ。命を失った方々もおられることから、巨石を撤去するか、災害記憶伝承のために残すかについては複雑な地域感情が錯綜《さくそう》した。災害直後の黒川を訪れた私は、苛烈な被災状況に圧倒されながらも、なぜかここが「美しい庭として再生している」というイメージが心に浮かび離れなかった。

黒川は英彦山修験道文化圏に属し、室町時代より英彦山座主《ざす》院を大切に守ってきた地域である。修験道の中心は自然信仰（山川草木悉皆成仏《さんせんそうもくしっかいじょうぶつ》）*2で、水、植物、石、土（微生物）、気配にも神仏を見いだした。英彦山内には禅庭が複数存在する（知足は英彦山山伏の子孫）。災害由来の岩を美しい庭の要素としつつ、植樹によっていのちの循環を再生するという発想は、英彦山の雪舟庭園（１４７６年）から得た。共星の里の柳和暢《かずのぶ》、尾藤《おとう》悦子も同様の直感を受け取っており、個人的にはこの企画が自然からの呼びかけに応えて始まったように思えてならない。

まずは企画・実行のプロセスを通して、多様な人々が関わるよう努めた。複数の（創造する側としての）主体を「見える化」し、互いの意識の中で居場所を与え合いながら、喜び合うためである。そのためにまず、禅僧であり国際的作庭家の桝野俊明《ますのしゅんみょう》を黒川に招き、「石心《いしごころ》を読む」といった禅における自然との対峙《たいじ》の在り方を学んだ。地域内外の参加者は現地踏査や岩石群の画像コピーを基に、模造紙を囲んで複数の作庭案を練った（２０１８年10月、11月）。土壌の生態系が崩れたためか、共星の里野外スペースの樹木が枯死する状況が続いていた。そこで、大学授業の中で禅庭や地域特有の植生の調査を始めた。ガーデンの巨石や側溝のレイアウトと並行して、ＣＧで季節ごとの色味をシミュレーションしながら、学生たちと植栽計画を立てていった。

ワークショップは複数回にわたり、参加者も一様ではなかったが、どの回も当事者の話を聴く機会をもうけ、被災地に寄り添う意識を継続した。また、地上のデザインばかりでなく、目に見えない土の中の菌根菌《きんこんきん》（植物の根と菌との共生体を作る）のネットワークや空気の循環についても言及を続けた。参加者には、生態学者のスザンヌ・シマードの講演映像『How trees talk to each other?（森で交わされる木々の会話）』（２０１６年）を視聴するという事前学習をお願いした。シマードは、「森は、ただの木の集合体ではなく、ハブとネットワークを備えた複雑なシステムです。幾重にもなる菌根菌のつながりが、木々をつなげ、互いを交流させ、それが情報交換や環境適応の手段となり、森の再生能力を高めています」[*3]と語っている。因《ちな》みに私は、このような森のシステムこそ、人間の共生社会のイメージモデルではないかと考えている。

　こうして多様な庭の企画案を組み合わせ、「風と水と土の道・再生のための庭づくりワークショップ」（２０１９年９月）の中で具現化することとなった（図1）。被災した住宅廃材や流木は、土壌改良のための消し炭に変え、植物の新しい命として再生することで鎮魂につなげた。炎天下での消し炭づくりや側溝掘り、剪定《せんてい》作業と、汗まみれの重労働が続く。それなのに夢中になり、時間を忘れる。最も印象深かったのは、各参加者に「自分の木」として一本の苗木を選んでもらい、植樹したことである。自分のいのちのバトンを、木に受け取ってもらったような感動があった。この時、一人の学生が、「木を植えることは未来を思うこと」と語ってくれた。参加者の想像力が、植樹によって人間を超えた時間につながったのである。自然の循環は、変化を繰り返しながら、その創造性と永遠性を失うことはない。災害という亀裂によって過去との連続性を失ってしまった時、救いとなるのは、「自然の再生力と永遠性」なのだろう。変わらずに咲く花や蛍火は、未

（図1）共星の里野外スペース2017年→2019年

来にもこの時間が続くと信じさせてくれる。

　共創的ワークショップで大切なことは、初期の段階から、参加者を「発案する主人公」として尊重することである。複数の創造する主体を「見える化」し、互いの意識の中で重ねていくマネジメントに時間をかける必要がある。具現化した時の美的ビジョンや幸福なイメージを、できるだけ具体的に関与者と共有し続けることである。それができるならば、プロジェクト参加者の集中力や能動性は持続し、周囲を巻き込む。単なる企画案で終わらずに具現化する可能性が開く。「やらなければいけない」という義務感を、「楽しいからする」という能動性に転換するのがアートである。アートの美と善、喜ばしさは人を惹きつけ、自他のいのちのエネルギーを呼びさます。

　人間は、創造の主体として企画から関わったものには、不思議な愛着が生まれるものである。復興ガーデンプロジェクトは、その愛着をきっかけとして、「被災地を第二の故郷のように感じ、関わり続ける関係人口[*4]を増やす」という意図があった。ただ、注意するべき点がある。それは被災者の方々が傷つき、生活再建で精一杯の状態であることへの配慮である。「関われば余計な負担が増える」という恐れは、被災者たちを苦しめるだけである。何か始めることより、メンテナンスしながら継続していく負担は、想像以上に重い。彼らが望むことを見極め、その小さな灯火《ともしび》を炎にすべく、支援者側が助力・実行するという姿勢を示すことが大切である。特に初動時は、被災者の負担を少なくし（アドバイザーや協力者など）、彼らが自由意志で関われることが望ましい。時に支援者は、被災地側から心ない言葉を投げかけられることも覚悟しておかなければならない。そのような時も、被災者の心情や地域事情に対する自分自身の想像力の乏しさを改め、敬意をもって被災地に関わり続けるしかない。美しいビジョンが共有されていれば、互いに帰着する結節点を見失わないですむ。地域の中で少しずつ理解者、味方をつくる。つながりが宝である。プロジェクトの中で生まれる喜びによって信用が深まれば、地域協力者＝

カウンターパートが増えていく。たとえプロジェクトが終了したとしても、カウンターパートの存在が地域での活動を高め、継続する力となる。

アートマネジメントにおける関係性

復興支援とは、被災地の外からするものとは限らない。被災地内でも、切迫した必然性に裏づけられた多様な復興支援活動が存在する。このような地域発信の活動をネットワーク化することは、意識を継続し、復興をまちづくりにつなげる上で重要である。意外にも、地域内の復興支援団体は、互いの活動を深く知る機会が少ない。自らの活動に手一杯であることはもちろん、「自分よりも被害が大きいところがある」などの複雑な心情が潜在的な足枷《あしかせ》となっている。高齢者が多い地域では、情報ディバイド（通信技術の格差）の問題もある。災害後2年という仮設住宅が廃止される時期も近づき、被災者たちの横のつながりの担保は課題であった。そこで、被災地における復興支援活動をひとつの冊子として共有する活動を、庭づくりと並行して取り組んだ。こうして、社会人と学生による編集部を立ちあげ、21団体を取材して記事を書き『復興支援団体紹介小冊子〝かたり〟』（２０１９年）としてまとめることとなった。これは、被災地内の様々な活動を、大学という中立的な立場を活かしてつなごうとする試みである（図2）。

若い世代が被災者の経験や現状を「傾聴し、文字にする」ことは、想像以上の善なる化学反応を生み出した。学生たちの想像力は具体性に根づいたものとなり、その本気度は格段に増していった。大規模災害を前にして、被災者たちが何を考え、実際にどう行動したのか。その軌跡についての語りは、災害対応に関するデザインのヒントと、次世代の幸福への願いに満ちていた。工夫したことは、復興支援団体ごとに「私たちができること」「私たちがのぞむこと」を紹介し、地域内外から関わりやすくした点である。地域外の方々には、被災地のニーズを知り、支援したい気持ちを行動に結びつける契機となる。また、被災地の方々には、相互理解と連携のネットワークづくりとして活用できる。被災地だけでなく、全ての地域における防災意識の継続と深化に役立てることを念頭に編集を行った。

現在もこの小冊子は、各支援団体の名刺代わりに活用され、助成金獲得などに力添えしている。この内容に触発された福岡青年会議所が新たな活動を行うなど、その後の広がりも見られる。アート作品が、人々の解釈によって多様な意味をもち一人歩きしていくように、活動の本来の価値は、その二次的な広がりの中にあるのかもしれない。ある活動から得られたタネが、その後の各参加者の新たな行動として芽吹いたかどうか。このような観点が評価指標のひとつになれば、参加者人数や経済効果だけではわからない、プロジェクトの真の価値が見えるようになるだろう。

黒川復興ガーデンプロジェクトと『かたり』に共通することは、環境や他者に対して自分の方の態度を合わせ、よくみて、よく聴き、深く感じることである。そこから生まれる意味を表現すること。それらを重ね合わせ、美しいビジョンを創造し、繰り返し互いに共有することである。この動的な調整作業は、前述した菌根菌のハブとネットワークの姿に似ている。複雑で創造的なつながりを、美しく善なる方向に調整し続けることを、私はアートマネジメントと呼びたい。

私がこれらのプロジェクトで想定した関係性は、人と人だけではない。動植物、環境の中に意識の主体があると想定している。それらに主体があるかどうか証明できないが、イメージとして自分の中に存在させることが鍵である。紡ぐビジョンが、互いにとって善であり、幸福に向かうものなのか検討する「水平な関係性」を構築することできるからである。その関係性は、修験的な言葉を使うと「習合《しゅうごう》」[*5]であろ

(図2)『復興支援団体紹介小冊子“かたり”』九州大学ソーシャルアートラボ 2019年

う。習合とは、異なるものが敬意をもって習い合うことで、独立性を保ちながら共存を目指す態度である。互いを観察し認め受け入れ、居場所を与え合う。2が1になる「統合」ではなく、2が2のままである「重なり」に近い。習合は、異なるものの間の「中立」であり、動きながら緊張を保ち続ける態度である。複雑な葛藤状態はストレスフルかもしれないが、状態を維持するほど想像力は細やかになり、これまでにない新しい創造が生まれる。0から1が生まれるのではなく、1と1が向かい合う中立地帯に新たな1を存在させるのである。創造を生むための水平な関係性とは、あらゆるものに敬意を払うことから生まれる。

復興支援における水平性は、支援しているようで、実際はエンパワメントされていることを自覚した時から始まるようだ。復興ガーデンの植栽計画を行った学生たちは、共星の里に実際に訪れた際、黒川地区の環境、人の優しさ、食べ物の美味しさに感動したという。彼らは地域の方々のために、災害からの復興を表現するアートパフォーマンスを行う企画を立てた（2019年・図3）。巨石群や生き残ったイチョウの木をプロジェクションマッピング（空間に映像を投影し視覚効果を与える技術）などで舞台要素とする計画である。黒川地区は約100世帯いた住民が、災害後約20世帯まで激減している。天候不順な年末の日暮れだったこともあり、観にきてくれる方がいるのだろうかと危惧していた。しかし当日、懐中電灯片手に20人近くの地域の方々が訪れてくださったことには驚いた。「夢みたいにきれいだったよ」という感想に、学生たちの方が涙を流す場面もあった。出会わないはずのものが出

（図3）口羽雅晴、山中りり花、逆瀬川陽介、國弘暉《共生-tomoiki-》2019年

会い、双方が贈与し合い、その間に前を向く力が生じる。この学生たちは、その後も復興支援を継続している。現前の世界から受け取った「感」を「知」に変え、その知を「身体化」する。分かち合った喜びの記憶は、目指すビジョンを強化し、新たな取り組みにおける複雑な調整や、困難に挑む勇気となる。このようにアートにできることを心身で実感することが、アートマネジメント人材を育成する第一歩であろう。

創造による被災木の再生

平成29年7月九州北部豪雨は、大規模な山地崩壊と流木被害をもたらした。被災地における森や樹木に対する怒りや恐怖は、山間地住民や林業関係者をさらに苦しめた。私は、木に対する負の感情を少しでも緩和するため、「被災木再生プロジェクト」として被災木を再活用する創造活動を始めた。地域への住民たちの愛着を維持し、森と暮らしとの調和や、グリーンインフラ[*6]としての森づくりへと議論を進めるためである。

災害直後、土砂で真っ白になっている大きな樟《くす》の流木に出合った。被災地では、その樹齢とほぼ同じ144年も続いた複数の小学校が統廃合された。彫刻家である私は被災した子どもたちのために、この流木で水の守神としての「龍」の木彫を制作した（図4）。新設の杷木《はき》小学校に設置されたところ、子どもが「この龍がいるから、もう災害が起こらないような気がする」と言ってくれた。この言葉を、私はどのような功績よりも嬉しく、誇らしく感じた。ほかに子どもたちとの

（図4）知足美加子《朝倉龍》2018年

ワークショップとして、流木による栞《しおり》や時計づくりを行っている。また、この災害で英彦山山嶺《さんれい》の樹齢約300年の山桜が倒木した。地域の方々の願いをうけ、この山桜で英彦山守護童子《しゅごどうじ》を彫っている（図5）。私は次第に「倒れた木のいのちが、愛され尊ばれるものとして再生する」という可能性が、アートにあることを確信するようになった。途切れたものを、紡ぎ直す力である。

被災木（杉）を再活用して、黒川復興ガーデンに東屋《泰庵《たいあん》》を制作するという企画も、このコンセプトから始まっている。地域内外の方や、離村した被災者の方が、自由に訪れ静かにたたずむことができる居場所を作りたかった。東屋の製材・設計施工は杉岡世邦《としくに》（杉岡製材所）と池上一則（大工池上算《さん》規《き》）を中心に進められた。彼らは、2016年の熊本震災復興支援（板倉の家ちいさいおうちプロジェクト）で力を合わせたメンバーである。その翌年、九州北部豪雨災害が発生し、杉岡所有の森は甚大な被害を受けた。杉に対するネガティブな感情は、彼を苦しめたという。「木（杉）の文化」を再評価するためには、杉がもたらす美しさを形にすることが必要だった。しかし、コロナ禍の中、一般参加者を募ることができず、関係者のみでの東屋制作となった。[*7] 杉材は、釘を使わずに、手刻み・手鉋《てかんな》の木組みで組み立てられた。川石を拾い土間に敷き詰め、石灰とにがり、赤土による三和土《たたき》で仕上げた。屋根を打つ木槌《きづち》と、土間の石を叩きし

（図5）知足美加子《花開童子と福太郎童子（吉木のヤマザクラ）》2019年

（図6）《泰庵》共星の里野外スペース2020年

める音が、いつの間にか同期していく。その響きによって環境と人の心がつながり、調和していく様は、実に美しかった（図6）。「絶望」を「前に向く力」へと転換する力は、おそらくこのような「創造するプロセス」の中に宿っているのだろう。

コロナ禍における「黒川庭園と喫茶アート養生会」

作庭家の枡野俊明によると、禅庭はそこから発想した心の表現を「あなたはこんなことに気づいていたのか」と互いに伝え合う場所なのだという。[*8]「黒川庭園が完成したら、お茶を飲みながらアートを楽しむ会を開きましょう」と、よく参加者と話していた。しかし、新型コロナ感染症拡大状況は依然として収束せず、対面でのイベント開催は難しかった。そこで、インターネットライブ配信による「黒川庭園と喫茶《きっさ》アート養生会」（２０２０年）を行うこととなった。無観客公演で行われたアート活動や交流の様子を、地域内外の方々とインターネット上で鑑賞し、感じる心を分かち合うものである。[*9]

始めに日本茶インストラクター・山科康也による実演指導を行い、画面の向こうの鑑賞者と茶の「香り」を同時に味わいながら、互いの意識空間をつなげることにした。黒川に縁が深い英彦山修験道では、茶を人と万物の聖霊をつなぐものとして位置づけている。[*10]また茶とアートが共に「生きる力を養う（養生する）」ものであると考え、タイトルに「喫茶」を配している。[*11]

続けて、被災木を再活用した東屋《泰庵》の制作過程映像を共有し、制作関係者や自然科学者とで意見交換を行った。[*12]森林圏生理活性科学を専門とする清水邦義が、杉材住宅が疫病の感染率を下げる可能性について言及したことは、コロナ禍において印象的だった。

次に、被災者の方々と制作した《短詩五七五、連句の円環》（図7）の報告を行った。これは、被災地の自然をテーマに詠んだ短詩五七五の下の句を、次の方の上の句につないでいくという作詩のリレーである。[*13] 前の方が詩にこめた思いを想像し、受け止め、それを次の方にたくしていく。心の受容と委託が繰り返される様子は、文化の営みに通じるものがあった。自粛で動けない中、渡された創造のバトンに「心の泉が再び湧き出した」と感謝する参加者もいた。「あさくらに」から始まり終わる19の短詩を、『かたり』の表紙のイメージに重ねた木の年輪の上に刻み、回しながら紹介した。対面のグループワークが難しい状況でも、時間をかけて創造のキャッチボールを行う仕組みをつくれば、意識上の共創空間が生まれることがわかった。

さらに、朝倉市の普門院と共星の里で事前に行っていた活動を映像で紹介し、制作者がライブでコメントを述べた。ライブ配信の視聴者は、コメント欄に感想を送ることができる。それをライブ中に紹介することで、同時性と双方向性を担保した。

普門院で行われた「音と身体のワークショップ―朝倉の子ども達と」(図8)に関連して嬉しいことがあった。それは、収録の前に、普門院や地域の方々が自主的に清掃活動を行ってくれたことである。土砂が流れ込んだ境内の印象は一新され、映像を観た被災地の方が「(被災した)普門院とは思えない」と感想を送ってくれたほど輝いていた。アートプロジェクトの真価は、こうした自主的な活動の起

(図7)《短詩五七五、連句の円環》2020年

(図8)「音と身体のワークショップ」普門院2020年

点になりえたかどうかにあるのだろう。

普門院の中で、子どもたちは学生が制作したアニメーション鑑賞や、子どもたちの誕生日からプログラムが展開するジェネラティブアート、AR（拡張現実）ジャグリングのパフォーマンスを楽しんだ。子どもたちは「身体表現ワークショップ」の中で、バレエ講師の永松美和と一緒に自然の中にある動きをまねしながら、自分の存在を深く感じ確かなものにしていく。彼らは、枝を持って木になりきり、木の気持ちを内面から感じていた。次のワークショップは、作曲家のゼミソン・ダリル（九州大学大学院芸術工学研究院助教）の「音狩り」である。風、水、虫、鳥、木、石の音をよく聴き、創造的に再現する。印象的だったのは、子どもたちの自由で本質的な表現力である。アリが歩く姿を観察し、小さな声で「かかかか…」と表現する子。「水は探さずとも、木や身体の中に流れている」と言う子。自然や他者と関わろうとする時、まず敬意をもってよく聴き、観察することの大切さを子どもと共に学んだ。

ライブ配信の最後は、共星の里で行われた無観客公演・デジタル枯山水『調身・調息・調心』（図9）とアートパフォーマンス《共生《ともいき》》（図10）の映像紹介とトークである。前者は、黒川庭園の巨石を活かしながら、枯山水をデジタル的に表現している。静かにたたずむと周囲に水紋が広がるというインタラクション（相

（図9）密岡稜大『調身・調息・調心』2020年

（図10）口羽雅晴《共生 -tomoiki-》2020年

互作用）がある。後者は、豪雨災害前の日常、災害の苦しみ、そこからの再生の物語が表現されている。豪雨災害で失われてしまった「蛍」がとぶ風景を、プロジェクションマッピングで校舎に再現した。パフォーマンス中に植えたユーカリ（花言葉、再生）は共星の里で生き続けている。被災者の方から「あの光景をみて、黒川の活動を続けてきてよかったと思えた」「災害前の蛍の乱舞の美しさを思い出した」というコメントがあり、感情の連続性をアートが紡いだことを実感した。

おわりに

本稿では、災害からの心の復興について、「手あてのアート」としての実践と知見を紹介した。心のいのちを養うためには、創造する主人公であるという自信、その喜びを分かち合うことが重要だと私は考える。そのためには、複数の創造する主体を「見える化」し、互いの意識の中で重ねていくマネジメントに時間をかける必要がある。出会わないはずのものを出会わせ、贈与し合うプロセスを創出するのである。プロセスの中で、幸福な美的ビジョンを共有し続けることができるならば、プロジェクト参加者の集中力や能動性は持続し、具現化する可能性が開く。アートマネジメントで大切なことは、創造のキャッチボールを行う仕組みをつくり、意識上の共創空間が生まれる状態を保つこと。中立的姿勢を維持しつつ、つながりを調和させ、美しく人道的なものへと導くことである。プロジェクトや人材育成の真価は、ある活動から派生した新たな創造の主体と活動の中にある。分かち合った喜びの記憶は、目指すビジョンを強化し、複雑な調整や困難に挑む勇気となる。「相互交流による創造の喜びを身体化する」ことが、アートマネジメント人材育成を推進する力となる。

本プロジェクトが目指したビジョンは、複数の創造的主体が重なり、心を贈与し合う共生社会である。人間が「未来を創造できる」という自信を取り戻すような呼びかけや励ましが、社会包摂とよばれる動きだろう。菌根菌のつながりが木々を交流させ森の再生能力を高めるように、災害後の調和のためには、調整を続けるハブとネットワークが必要である。その結節点（ハブ）を担うアートマネジメント人材は、今後、重要性を増していくであろう。

また、本活動を通じて得たものは、自然災害の傷を癒すのもまた自然だということである。過去との連続性を失ってしまった時、救いとなるのは自然の循環が未来に続いていくということ。その「自然の再生力と永遠性」であった。

沖縄の彫刻家であり平和活動家の金城実《きんじょう》に面会した事を思い出す。金城は、沖縄の壮絶な嵐の後で、最初に芽を出すのはクワの木だと教えてくれた。彼は、打ちのめされたものほど強い再生の力、抵抗の力が宿っていることに気づいたという。「台風の後の樹木に宿る〝抵抗の遺伝子〟に気づかないのか。思想と魂を受け継ぎ、気位と品格を自覚することだ。（中略）抵抗を具現化し、絶望を越えることは、これからの君のミッションだ」という言葉を私に残した。*14 環境問題や災害の苛烈化、疫病の蔓延。私たちは真の絶望に向き合わざるをえない。しかしその中にこそ、強い再生の力が宿っていると信じたい。

注

1　ヴォルフガング・ライプによりＮＨＫ Ｅテレ「日曜美術館」に寄せられた詩『花粉を集める』（訳、小野正嗣）より引用（２０２０年5月31日放送）。

2　経典『大般涅槃経（涅槃経）』（約４世紀）に「一切衆生悉有仏性」という句があり、これが日本において心をもたない草木国土も成仏するという「草木国土悉皆成仏」「山川草木悉皆成仏」という言い回しとなったという（末木文美士（２０１５）『草木成仏の思想 安然と日本人の自然観』サンガ文庫、17~20ページ）。

3　Suzanne Simard. 2016. "How trees talk to each other?"
https://www.ted.com/talks/suzanne_simard_how_trees_talk_to_each_other?utm_campaign=tedspread&utm_medium=referral&utm_source=tedcomshare　（２０２１年1月9日最終確認）

4　地域や地域の人々と多様に関わる地域外の人材。地域づくりの担い手。

5　神仏習合とは、日本固有の神の信仰と仏教信仰とを融合・調和するために唱えられた教説。

6　国土交通省（２０１５）『第４次社会資本整備重点計画』

7　科学研究費補助金（JP 18H04152、代表：佐藤宣子）の助成を受けている。

8　枡野俊明（２０１１）『共生《ともいき》のデザイン　禅の発想が表現をひらく』フィルムアート社、24ページ

9　以下のメンバーが参加した。あさ・くる こども自然スコーレ［松本亜樹ほか］／九州大学学生［田中圭太郎（短詩作成支援アプリケーション）、密岡稜大（デジタル枯山水）、山口健人（アニメーション）、嘉松峻矢（ジェネラティブアート）、口羽雅晴（パフォーマンス）、森崇彰（ARジャグリング）］／聞き手［白水祐樹（SALスタッフ）、村谷つかさ（SAL学術研究員）、栗山斉（九州大学大学院芸術工学研究院助教）］

10　日本大蔵経編纂会（１９１４~１９２０）「修験一派引導作法一巻附位牌霊供茶湯次第」『日本大蔵経第37巻宗典部修験道章疏２』名著出版、３６４ページ

11　１２１１年に明庵栄西が著した『喫茶養生記』を参考にした。

12　杉岡世邦、尾藤悦子、柳和暢（泰庵制作）、清水邦義（九州大学）、岩間杏美（油山市民の森）

13　正式には五・七・五の長句と七・七の短句を一定の規則に従って交互に付け連ねる。

14　筆者による沖縄・読谷村でのインタビュー（２０１５年６月28日）。

知足美加子　ともたりみかこ

九州大学大学院芸術工学研究院コンテンツ・クリエーティブデザイン部門教授、博士（芸術学）。専門は彫刻。彫刻家（国画会会員）。山岳修験道学会評議員（英彦山山伏「知足院」の子孫）。筑波大学大学院芸術研究科（彫塑）修了。青年海外協力隊美術隊員として中米コスタリカ共和国に赴任。アイヌ民族に関する二風谷プロジェクト（１９９９）、中越地震（２００４）、東日本大震災（２０１１）、熊本地震（２０１６）、九州北部豪雨災害（２０１７）において、アートを通した復興支援活動を行う。

演劇がひらく障害の「社会モデル」の先

長津結一郎（アートマネジメント）

はじめに

ソーシャルアートラボで2018年度から実施してきた「〈演劇と社会包摂〉制作実践講座」。その「社会包摂」という言葉の捉え方についてはすでに触れているところだが【40ページ参照】、本節では、演劇の手法を用いることで、社会包摂と呼ばれるような状況がどのように生起しているのかを、講座で得た経験を基にしながら考察していく。

講座では、福岡で活躍する身体に障害がある俳優たち（森裕生《ゆうき》・里村歩・廣田渓）や、即興的な表現を得意するアーティスト等の集団で「異ジャンルクロスバンド」と称する「門限ズ」の面々（野村誠・遠田誠・倉品淳子・吉野さつき）、身体的に多様な特徴を持つ人々との演劇活動を推進している認定NPO法人ニコちゃんの会の森山淳子を招聘《しょうへい》した。講座の中では身体表現のワークショップや舞台公演に向けたインターンシップ、シンポジウムなどを行い、2020年度はその全てをオンラインで行った【オンラインでの実施状況については210ページを参照】。ここでは2018年度に起こった出来事から、演劇と社会包摂をめぐる諸相を紐解いていきたい。

接触のプロセス――ワークショップ「身体で知り合う表現とケアの2日間」から

まずは、2018年7月15日、16日に実施されたワークショップ「身体で知り合う表現とケアの2日間」について取り上げる。公募した受講者たち19名が、後述する演劇制作の現場にインターンシップ生として参加するに当たり、障害のある人を含めた多様な人たちと身体的な交流やそこからの創作活動を行うことを目指したワークショップであった。ここではその1日目に起こった出来事に着目し、障害のある人とない人の身体的コミュニケーションのありようについて検討していく。

シーン1：障害の身体をあやつる

ファシリテーターである倉品の指示で、参加者が二人一組になり、一人が立ち止まり、もう一人がその人の身体を自由に動かすことで、「彫刻」のようなものを作るという、演劇ワークショップではよく行われるワークを実施した。このシーンの中で、車椅子に乗った講師である里村の身体を動かそうとする参加者Aの振る舞いに着目する。

里村は言語障害があり、また全身に不随意運動があるが、これまでの俳優としての経験からこうした身体表現に慣れている。その一方、参加者Aはワークショップに慣れておらず、また障害のある人の身体に触れたり、車椅子の扱いをどのようにしたらよいかなどが分からない様子であった。時間にするとわずか2分間程度のシーンであったが、相互行為分析の手法を用いて記録映像を丁寧に追っていくと、参加者が戸惑いを見せているところから車椅子の操作を試みるまでのプロセスを追うことができた。それは大きく四つの場面に分けることができる。

①ファシリテーターからの合図の後、参加者Aは里村の左腕を動かしてみたり、後ろに回り込んで右腕を動かしたりしている。その後、足が車椅子に付属しているバンドで固定されていることに気づき、そのバンドを外してみようとするそぶりを見せるが躊躇《ちゅうちょ》している。里村はそれに応答するように（本来のワークでは止まったままでなくてはならないのだが）左手を腕ごと下げ、足のバンドを指差す。

②参加者Aは足のバンドを見つめて、スタッフが座っている方向を向き、まるでスタッフに介入を求めるかのようなそぶりを見せる。しかしスタッフがそれに気づかなかったのか介入しないでいると、里村はなおも指差しで指示をしようと試みている。

③参加者Aは、里村の身体に少し触れてみては離れ、触れてみては離れ、を繰り返している。その際、足には触れず、腕ばかりを動かしている。里村は、言語によるコミュニケーションを試みようとし、何かを参加者Aに向かって語りかけているのだが、参加者Aは何を言っているのかが理解できなかったのか、その後も行動を変化させるには至らなかった。

④事態を察したスタッフが介入し、足が巻かれているバンドを外しても大丈夫である旨を伝えると、ようやく参加者Aは足を固定しているバンドを外す。

このシーンで参加者Aは結果的に、初めて障害のある人に触れるという経験への戸惑いから、自分一人でのコミュニケーションでは「足を固定しているバンドを外す」という目標を達成するに至らなかった。①の場面で身体に接触し足のバンドに気づき、②の場面では参加者Aと里村により「足を固定しているバンドを外す」というこの場での目標が協働的に生成されるも、③の場面では参加者Aは躊躇するばかりで関与方法を模索するにとどまり、④の場面で外部からの介入による後押しがあることで初めて「接触」するに至ったのである。

シーン２：即興的なダンス

次に紹介するのはシーン1とは対照的なコミュニケーションである。参加者全員で屋外で即興演奏をしながら練り歩きをし、室内に戻ってきたところで、今回のファシリテーターの一人でもある遠田と里村による即興ダンスが始まったシーンである。遠田もまたその当時は障害のある人や車椅子に乗った人とのダンスの経験が浅く、どのように身体や車椅子と関わったらよいのか分からなかった、と事後に語っている。実際のダンスシーンでは、車椅子との接し方をためらいながら遠田が即興的にダンスを行っている中で、遠田と里村の目線が頻繁に合うようになる。こうした非言語コミュニケーションのプロセスを通じて、遠田はついに里村に馬乗りになってダンスを披露するまでになる。これも大きく四つの場面に分けることができる。

①介助が終わり、里村がフロアの方を振り向くと、遠田を含め何人かで即興的なダンスが始まっている。里村はそのフロアを眺め始める。里村の介助に携わっていたニコちゃんの会の森山や、ふだんから里村と創作活動をしている倉品が、里村に何かを促すようなそぶりを見せる。

②遠田は里村の存在に気づき、即興でダンスを踊る中で、里村の座っている姿勢や手の挙げ方を真似し始める。里村は電動車椅子を操作し、前後に動いたり、回転したりし始める。遠田は里村のその動き

に呼応するほか、回転するという行為をモチーフにしながら即興的に動きを拡張させていく。いつの間にかフロアでは、ほかにも踊っていた人が引き下がり、みんなが遠田と里村のダンスを見ている。③ある瞬間に双方が立ち止まり、お互いに目線を合わせ、強く睨《にら》み付け合っている。里村は再び回転すると、遠田も再び回転するという行為をモチーフに、即興的なダンスを続けている。④ついに遠田は里村の身体に近づいていき、里村の膝に自らの顔を接触させようとする。里村は待ち構えていたように遠田の顔を自らの膝に、左腕で押し当てる。

この後、遠田と里村は頻繁に接触を試み、ついに里村の上に遠田が乗っかるという行為に至る。ただ、遠田にとってもまた、参加者Aと同様、このシーンが初めて障害のある人に触れるという経験であったはずだ。しかし遠田の場合は参加者Aと異なり、里村の膝に顔を付けることによる「接触」を達成することができた。①の場面では互いの存在を認識し、対象として観察しながら、近づいたり遠ざかったりを繰り返し、②の場面では模倣による手探りが行われ、それぞれの身体のありようを活かしながら共に呼応し続け、③の場面ではお互いに大きな目で睨み付け合うことによる、強い意思を持った非言語コミュニケーションを行うことにより、④の場面で「接触」するに至ったのである。

「さわる」「ふれる」プロセス

この二つのシーンを比較すると、「接触」がうまくいった場合と、そうでない場合の異なりについて考えることができる。

むろん、参加者Aが他者の介入を経て「接触」に至ったプロセスは非難されるものではない。むしろ、まさにここから受講者としての学びのプロセスを期待すべきところであろう。実際にその後も参加者Aは、後述する演劇公演でのインターンシップでも大活躍を果たし、自分自身の問題意識と重ね合わせて多くのものを持ち帰ってくれていたように感じられる。そして何より、異なる身体的特徴を持つ人々を目の前にしたときに起こる戸惑いというのは、特に初めての「接触」であれば、多かれ少なかれ誰にでも起こり得ることだ。

では、同じように障害のある人と接するのが初めてであったと語った遠田は、どのようにその状況に立ち向かったのか。おそらく遠田の場合は、実際に「接触」するという行為を取るわけではなくとも「接触」することができるための、身体知とでも言うべき手法を持っていたのではないか。相手の身体をよく観察すること、相手のそぶりを模倣すること、強烈にアイコンタクトをすること。その、実際に触れることに至るまでのプロセスにおいて、別の形で「接触」を試みていたことが、結果的に「接触」を成功させるに至った秘訣なのかもしれない。それは、障害がある身体に対しておそるおそる触るのではなく、里村を里村として認識した上での触れ方なのだろう。

美学者の伊藤亜紗は、触覚的コミュニケーションには「さわる」と「ふれる」があると語っている。ものごとを一方から一方へと伝えようとする「伝達モード」と、双方向的な交流が内在している「生成モード」があるといい、前者を「さわる」、後者を「ふれる」として扱うのだという。「共感を持ちながらも接触のパターンをお互いに微調整したり交渉したりするような、じりじりとした動的なプロセス」[*1]が、「ふれ・あう」というコミュニケーションである、と伊藤は述べる。

ただし、この「さわる」と「ふれる」は二項対立的なものではなく、入れ子構造であるという。例えば、死に向かう人に向かい懸命に介助者が身体接触することは、もはや人と人とが「ふれる」相互的な交感ではなく、「尊さや畏怖」との接触としての「さわる」であるというのだ。

けれども、「ふれる」を突き詰めていくと、その果てには「さわる」が、つまり「ふれあう」ことなど不可能な存在として相手が立ち現れてくる次元がある。誠実であろうとすればするほど、他者に対する態度は非人間的な「さわる」に接近していきます。*2

この伊藤の議論を借りると、遠田と里村のやりとりで起こっていたのは、「さわる」コミュニケーションと、「ふれる」コミュニケーションの双方が、連続的に、接触／非接触を行き来しながら起こっていたのではないだろうか。もちろん「ふれる」ことにより交感が生まれ自他が融解する瞬間もまた確かにあったのだろう。しかしそれだけではなく、不随意に、自らの意思とは異なる動きを生み出す身体を持つ里村の動きに対し、遠田と里村が互いに、また自己に対して、想定し得ない身体の動き、身体の異なりに対し、（非）身体的に「さわり」続ける態度から、より深い自他の交感が訪れていたのではないだろうか。

舞台と観客――公演『走れ！メロス。』から

次に扱うのは、２０１８年12月21日～23日に実施された公演『走れ！メロス。』である。認定ＮＰＯ法人ニコちゃんの会は２００７年より俳優・演出家の倉品淳子とともに、身体に障害がある人たちとの演劇活動に取り組んでいる。本公演は公益財団法人福岡市文化芸術振興財団とも連携した形で実施された。インターンシップとして受講者12名は、衣装作成や搬入搬出、さらには障害のある観客に向けた字幕投影なども体験したほか、当日業務の補助を行った。ここでは実際の公演で行われたパフォーマンスを手がかりにしながら、障害のある人やその周囲にいる人々を舞台として見るという経験

が生み出すものについて検討していく。

メロスが「走る」、車椅子が「走る」

まずは、若干主観的な記述から始めたい。筆者はニコちゃんの会がプロデュースした前作『ＢＵＮＮＡ』の福岡凱旋《がいせん》公演をコーディネートしたことがある（２０１７年2月16日、九州大学大橋キャンパス）。そのゲネプロの頃だったか、演出の倉品に声をかけられた。「次の作品の題材は何がいいと思います？　本番が終わるまでに考えておいてください」と。

『ＢＵＮＮＡ』も、水上勉の小説『ブンナよ、木からおりてこい』を基にした作品で、原作の筋を活かしながらも障害のある人や高齢の人たちの置かれている現実を織り交ぜ、リアリティと物語を織り合わせることによって効果を生み出していた力作であった。それゆえ、何を題材とするか、という問いはそのまま、人々の現実を描くための手がかりとして何を引用するのが適しているか、という問いでもあった。これは重要だ、と、現場のバタバタ感の中で捻り出したのが、『走れメロス』だった。その1カ月ほど後、倉品からメールがあり、太宰治の小説『走れメロス』を題材にすることにしたという報告と合わせて、「言いだしっぺの責任もありますからね！（なんちゃって）」という愛らしいメールが届いたのだった。今回の講座を実施したのにはそのようなプロセスもあった。

実際に稽古が始まってから、筆者はインターンシップの見守りをしてはいたけれども、『走れメロス』が『走れ！メロス。』になるプロセスは、ほぼ傍観していただけである。とは言え、ただただ期待だけは膨らんでいた。誰もが一度は目にしたことがある作品を、このメンバーでどう描くのだろうか。王が、セリヌンティウスが、いったいどのように描かれるのか。そして、身体障害のある人による「走る」とはどういうことなのか……。筆者は以前、本書でもインタビューが掲載されている森田かずよによる「歩く」ことをテーマとしたダンスに関する原稿を書いたこともあり、[*3] どのような描写がなされるのかわくわくしていた。

公演を実際に見ると、「走る」の描写は実に多様であった。中でも、メロス役を同時に託された車椅子を操る六人の俳優たち（今回の演出では「メロス」役がいろいろな役者にどんどん入れ替わって展開されていった）が、驚くほどの速さで、客席の周りをぐるぐる、ぐるぐると走り回る様子は圧巻だった。客席にも車椅子を利用する人がいることから、客席の半分は舞台面と一続きに、フラットになっているのだが、その舞台＝客席を縦横無尽に車椅子が駆け回っていたのだ。

もちろん、観客が想像する、メロスが王に囚われたセリヌンティウスの元に走り続ける姿と、実際に目の前で起こっている、車椅子で走る姿とは圧倒的に異なるだろう。しかし観客は、車椅子の走る音を、吹き抜ける風を、飛び交う叫び声を聞きながら、「走る」を体感していた。

「気にしないでご覧ください」

このシーンからも分かるように、倉品による演出の持ち味は、原作の持つ世界観や価値観は否定することなく、その一方で出演する役者たちの日常を混ぜ込むところにある。それに付け加えると、観客を巻き込むことを前提とした舞台を作ることも特徴的だ。

例えば『走れ！メロス。』のラストシーンでは、王の予想に反してセリヌンティウスの元に駆け寄ったメロスを前にして、王を演じる俳優が「どうか、わしをも仲間に入れてくれまいか。どうか、わしの願いを聞き入れて、おまえらの仲間の一人にしてほしい」と語る。原作ではここで群衆の間に歓声が起こり大団円となるところだが、倉品の演出は違った。割って入るように突然マイクを持った役者が現れ、王を仲間に入れるかどうかを観客に判断させるような演出をしたのだ。観客は当然、面食らってしまう。仲間に入れるかどうかという判断をなぜ私がしなければならないのか、私は演劇を、作品としてただ見ていただけなのに、という思いにかられる。しかし目の前には大勢の役者たち（身体障害のある役者たちだけでなく、通称「フェアリーズ」と呼ばれる高齢の女性たちも大勢この演劇には参加しており、その表情や振る舞いもまたこのカンパニーのアクセントになっている）が、今か今かと観客の反応を待っている。

倉品はこの作品の冒頭、手話通訳をする俳優（自身も耳が聞こえない役者である）と前説をしていた際に、『走れ！メロス。』の中に、私たちが創作したシーンが入ってきます。気にしないでご覧になってください」と語っていた。原作の順番通りではなく、ところどころ役者たちの日常が入り込んだようなストーリーが挟み込まれたり、観客に向けて投げかけたりするような演出を加えることで、観客は客席に安住していられない存在となる。その危機感をあらかじめ解こうと、倉品は「気にしないでご覧ください」と語るのだろう。

ショート・ストーリーズの戦略

この、一つのストーリーに対して別の現実を挟み込む手法は「構成演劇」と呼ばれ、倉品が所属する劇団「山の手事情社」の演出の持ち味として注目されてきたものである。そして、役者たちの現実を寸劇として描いていくシーンのことを「ショート・ストーリーズ」と山の手事情社では呼んでおり、ニコちゃんの会でもその呼び方が定着している。ショート・ストーリーズは、稽古の際に数人でグループとなり即興的に作られる。それをその場でみんなで見せ合うことで面白がる。最終的にそれら一つひとつのストーリーは演出家によってパズルのように組み合わせられ、作品の一部となる。

例えば、実際に『走れ！メロス。』の中に挿入されたショート・ストーリーズのうちの一つは、車椅子に乗った男性がヘルパーに連れられて病院の待合室にやってくるが、ヘルパーが恋人との電話をしに退出してしまうところから始まる。待合室には親子と思われる女性二人が現れ、診察への不安を大声で語っている。すると看護師役と思われる男性が登場し、車椅子に乗った男の名前を呼び出す。しかし看護師の発話が明瞭でなく、名前が聞き取りづらい。それでも、呼ばれているのが自分だと分かった車椅子に乗った男性は手を挙げて叫ぶ。しかし、車椅子に乗った男性は不随意な運動と言語障害のために、手を挙げていると認識されず、看護師は退出してしまう。と、横に座っていた女性二人が男性に気づき話しかけるが、年配のほうの女性が男性に対して、まるで子どもに喋《しゃべ》りかけるような口調で話しかける。男性はそれに怒ったそぶりで年配の女性の足を蹴り上げるが、その怒りに女性たちは気づくことなく、どこが痛いのか、おなかがすいたのか、などとけたたましく面倒を見続ける。

こうしたショート・ストーリーズの戦略は、原作とは少し違う距離で舞台上の役者自身のリアリティと観客とをつなげる。そして観客は、何度も呼ばれているのに気づかれない男性の滑稽なふるまいに笑い、女性たちの無神経な言動にまた笑うのである。もちろん、喜劇として笑えばいい。しかし笑った後に、何か後味の悪さが残る。なぜなら、今まさに巻き起こった笑いは、日常が切り取られ、舞台に乗せられているゆえに起こったものだ。だが、舞台上で起こった出来事の基となっているのは、役者一人ひとりの身に実際に起こっていることである。では日常風景で同じようなことに遭遇したときに、いま笑った観客はやはり同じように笑うのだろうか。このようにショート・ストーリーズは、少しひるんだ、リラックスした観客に対して、鋭く問いを突き付ける機能を備えている。

演者と観客の一期一会

ここまで『走れ！メロス。』を振り返り、観客との関係において検討してきた。観客の想像力により「走る」身体が見えること。「気にしないでご覧ください」と安心させつつ、観客を巻き込むことで、観客に多様な解釈を促すとともに、他人事ではないということを突き付けること。そして、ショート・ストーリーズを通じて日常と地続きである身体を舞台上で面白おかしく見せることの、ある種の「毒」のような性質。

演劇研究者の岩城京子が言うように、演劇は「演者と観客の一期一会の出逢いから創造される」ことで、現在まだ言葉になっていない集団意識が現在形で浮き彫りになるという性質を持つ。

（…）演劇は、演者と観客の一期一会の出逢いから創造される。同じ時代を生きる、演じる側と観る側による、対話／交流／知覚交換／中断などが、劇場ではとり交わされる。その時、その遭遇から、いまだおおっぴらに言説化されていない、社会の集団意識が現在形で浮き彫りになる、「前言語的認識の刹那」が出現する。そしてその刹那に触れたとき、観客は、得も言われぬ直覚と感嘆に襲われることになる。[*4]

ニコちゃんの会の演劇を通じて舞台と客席とのあいだに巻き起こっているのは、「障害者（や高齢者）が頑張って演劇をしている」という姿とは程遠い、健常者がどのように障害のある人や高齢の人の身体を、存在を捉え、それにどのように向き合うかを突き付ける劇場空間である。観客席でのうのうと座っている人々の潜在的な集団意識に揺さぶりをかけ、観客一人ひとりの想像力によって、まだ言葉にならない領域の気づきと、気づきですらない何かを生み出す。現実の文脈と作品の文脈を、観客の想像力で交差させる場が生み出されているのだ。

考察——障害の「社会モデル」を日常的実践から捉え直す

ここまで〈演劇と社会包摂〉制作実践講座や公演『走れ！メロス。』で起こったことを手がかりにして、異なる身体が接触することや、舞台と客席の関係性について検討してきた。ここで改めて「社会包摂」という言葉に戻っていこうと思う。

社会包摂という言葉は社会的排除の裏返しであるが、すでに本書や、ソーシャルアートラボが制作した冊子【13ページ参照】で触れているように、社会包摂を促進するためにはマイノリティ側へのアプローチのみでは不十分である。なぜならマイノリティは、マジョリティにあらかじめ排除されているからである。その、あらかじめ排除された空間に再び、まるでそれがなかったかのようにマイノリティの立場にある人々を招き入れることは、暴力的な行為にほかならない。そこで重要なのは、マジョリティの立場にある人々の社会的態度が根本的に変化することにある。[*5] もちろん、そのときの社会的状況や地理的状況によって、誰がマイノリティであり誰がマジョリティかというのは揺れ動く。重要なのは、双方がエンパワメントし合い、双方の意識が絶えずアップデートし続けるような仕掛けを施すことであろう。

ではそのような意識の変化は、どのようになし得るのだろうか。

障害学の分野では、対障害者をめぐる社会的不利益を立体的に捉えるため、古くから「医学モデル（もしくは個人モデル）」と「社会モデル」という言い方がなされてきた。「社会モデル」とは、障害を「損傷（インペアメント）」として医学的な判断によるものとして捉えるのではなく、社会の側の「障壁（ディスアビリティ）」として捉える考え方である。すなわち社会の側が変わることにより、障害／健常を隔てる境界線が可変するという考え方であった。マジョリティの意識が変わり、行動が変わることにより、社会が変わり、結果的に社会の中で「障害」という事象が「障害」でなくなる、という考え方である。この障害の「社会モデル」は世界中に広がり、各国の障害者福祉政策にも影響を与えてきた。

しかし近年こうした二項対立的な考え方を批判する者も現れている。社会学者の榊原賢二郎は、「医学モデル」と呼ばれるものの実際的判断の中にも社会的な規範が紛れ込んでいること（精神障害者の強制入院など）や、「社会モデル」の指す「社会」概念が曖昧であることなどを指し、この二項対立自体が研究者や一部の実践家たちの特権的な考え方なのではないか、と疑問を投げかけた。

（…）社会を生きる人々も、障害や障害者、損傷等について何らかの観念を抱いている。人々は、障害に関連して、身体に様々な意味づけをおこなっており、また障害に関する社会的困難について、身体と結びつけながら、あるいは切り離しながら、何らかの説明をしばしばおこなっている。こうした説明は帰責と呼ぶこともできるが、重要なことは、この帰責を医学モデルや社会モデルの主導者である研究者や医師、運動家などが独占しているわけではないことである。*6

榊原は、そこでこぼれおちているのが障害のある人々の日常的実践だといい、「障害社会学」という新たな学問分野の可能性を提起している。そこでは、社会学的反省、すなわち一つの出来事に対して社会学者が一旦まとめた定義や思想に対して、それが自明のものかどうか疑いながら批判的に捉え直す（ここでの「批判」とは必ずしも否定的な意味だけではない）ことを求めている。自明であるとされているもの――「障害」「医学モデル」「社会モデル」……――に対して本当にそうであるかを、個々の日常的実践を踏まえつつ、社会学者として見直していく態度が肝要であるというのだ。

しかしひるがえって考えると、そのような態度は社会学者によってのみなし得るものではなく、実際に障害のある人やそこに関わる人々の一人ひとりの実践によってなし得るものなのではないか。「医学モデル／社会モデル」と二項対立にすることで、障害問題に対して理論的解決を促したり、社会運動的に解決を促す動きが現れてきたが、それはあくまでスローガン的なものにすぎず、個々の身体、個々の日常が「社会モデル」を体現するだけではない。そこで重要なのは、個々の日常への視点、すなわち『障害が社会の側にある』としたら、一人ひとりが何をどのように諦め、どのように妥協し、納得し続けながら、『障害』のある日常を過ごしているのか？」という問いである。

障害のある個々人が何を感じているのかを丁寧に語ったり、表象したりすること。そして、その周囲にいる人が表象をそばで感じ、丁寧に見て、考え、感じ、行動すること。障害のある人自身も、その周囲にいる人どうしも交感し合い、共に新しい価値観を生み出し、そのことを表明していく。その立体的なプロセスの帰結にこそ、スローガンとしての障害の「社会モデル」がある。

おわりに

本稿では、演劇と社会包摂をめぐる二つのシーンを手がかりにしながら、演劇と社会包摂をめぐる諸相を紐解いてきた。

障害のある身体と初めて接する健常者のプロセスからは、戸惑いながら「接触」するという行為を獲得していく中で、伝達的なコミュニケーションと生成的なコミュニケーション、そのどちらでもない不随意なコミュニケーションが入り混じりながら、自他ともに身体の異なりに接触し続けるプロセスを通じ、より深い自他の交感が訪れていたことを指摘した。

障害のある身体を舞台上にあげ客席から眺めるという行為を検討する中では、「観客はどのように、障害のある人や高齢の人の身体やその存在を捉えているのか」を突き付ける空間として劇場が機能していることを述べた。観客一人ひとりの想像力によって、まだ言葉にならない領域の気づきと、気づきですらない何かを生み出している。そのことで、現実の文脈と作品の文脈を観客の想像力で交差させる場が生み出されていることを指摘した。そしてこのことを障害の「社会モデル」を捉え直す議論を基に考えてきた。

障害のある個々人が何を感じているのかを丁寧に語ったり、表象したりすること。そして、その周囲にいる人が表象をそばで感じ、丁寧に見て、考え、感じ、行動すること。そのことを現場レベルで実践していく先に、スローガンとしての障害の「社会モデル」があるとする。だとしたら、異なる身体どうしが交感し合うような現場や、舞台と客席のあいだで想像力が交差する現場は、まさに障害のある人の日常的実践を可視化し表象していくための、関係性のプロセスにほかならない。そして、そのように、個々の身体の声を聞き、そこに共感し、次の一歩を異なる誰かに向けてつなげていくことこそが、演劇と社会包摂が交差する現場におけるアートマネジメントと言えるのではないだろうか。

私たちはいったい、異なる他者とどのように出会っていくことができるのだろうか。その出会いの場を、アートマネジャーとしてあいだに立ちながら、どのように創出できるだろうか。障害のある人自身の小さな声や、ささやかな表象に対してどのように向き合い、彼方にあるリアリティに並走することができるだろうか。

問い続けることにより関係性が生まれ、それが展開し、障害をめぐる社会的価値観が変わる。今回の「演劇と社会包摂」をめぐる一連のプロジェクトは、こうした問いを突き付けられるときの振る舞いや、そこから生まれるさらなる問いや、そこから開かれる共生社会のありようについて考える契機であったのかもしれない。

※本稿の記述の一部は、下記の内容を基にして加筆修正を行っている。
長津結一郎（2018）「演劇ワークショップにおける相互行為分析を通じた「障害／健常」の共創プロセスの検討」、『共創学会第2回年次大会予稿集』、132〜133ページ

注
1 伊藤亜紗（2020）『手の倫理』講談社、130ページ
2 伊藤、前掲書、140ページ
3 長津結一郎（2018）『舞台の上の障害者：境界から生まれる表現』九州大学出版会、第4章を参照。
4 岩城京子［編］（2018）『日本演劇現在形：時代を映す作家が語る、演劇的想像力のいま』フィルムアート社、8ページ
5 文化庁×九州大学 共同研究チーム［編］（2019）『はじめての〝社会包摂×文化芸術〟ハンドブック』九州大学大学院芸術工学研究院ソーシャルアートラボ、など。
6 榊原賢二郎［編］（2019）『障害社会学という視座：社会モデルから社会学的反省へ』新曜社、194〜195ページ

長津結一郎　ながつ ゆういちろう

九州大学大学院芸術工学研究院コミュニケーションデザイン科学部門助教、博士（学術・東京藝術大学）。専門は文化政策学、アートマネジメント、芸術と社会包摂。東京藝術大学音楽学部教育研究助手、慶應義塾大学グローバルセキュリティ研究所研究員、NPO法人多様性と境界に関する対話と表現の研究所代表理事等を経て現職。近年は舞台芸術分野のワークショップや作品創作プロセスへのフィールドワークや分析からの理論構築や社会実装を試みる。著書に『舞台の上の障害者：境界から生まれる表現』（九州大学出版会、2018）など。

里地・里山保全と半農半アート

朝廣和夫（緑地保全学）

「ボランティア」と「地域奉仕」

ソーシャルアートラボは2015年に設置され6年間にわたり活動を継続してきた。このラボの目的は「社会の課題にコミットし、人間どうしの新しいつながりを生み出す芸術実践を『ソーシャルアート』と捉え、その研究・教育・実践・提言を通じて、新しい『生』の価値を提示していくこと」としている。私がこのラボの設立にコミットした動機づけは、農山村における里山や自然環境の課題への対応に、このアートとの関わりが必要だと考えたからである。

これまで私の実施してきた緑地保全の観点からの一つのアプローチは、「里山保全ボランティア」である。「いつでも、だれでも、里山保全活動ができる」。そのようなアクセスをボランティアという枠組みで開いていく取り組みである。1997年頃から、英国自然環境保全ボランティアトラスト（当時BTCV、現在はTCV）と連携し、福岡県の黒木町笠原で認定NPO法人山村塾と連携し、約10日間のワーキングホリデー（保全合宿）を行う形式で、海外のボランティアメンバーと棚田の石積みや森林でのフットパス（散策路）づくりを行ってきた。全く新しく出会う人々と、ボランティアリーダーの下で「安全に楽しく」作業を完成させていく取り組みは、達成感があり充実していた。数日の取り組みであるが、終了後は、まるで活動をした農村が第二の故郷のような、そんな感覚を得ることができた。

海外では、英国の環境保全ボランティアをはじめ、オーストラリアのエコツーリズム、米国のコンサベーションコア（国内青年協力隊）などが展開されている。その目的は、環境保全が主であるが、そのほかにも、人材育成、コミュニティ形成、健康増進、観光開発など、環境保全活動を通じて社会の課題にコミットすることが主務とされている。私の恩師である故・重松敏則は、このような活動を日本に展開・定着させたいと「里山保全ボランティア」を着想した。日本において里地・里山保全ボランティアは人口の多い関東・関西地域で盛んに行われてきた。しかしながら、私たちの福岡では、あまり社会への広がりが進まなかったように感じられた。

私は、日本で里山保全ボランティアが普及しない、いくつかの理由があると考えてきた。その一つ目は「地域奉仕とボランティアの違い」、二つ目は「休暇の少なさ」、そして三つ目は「農業と気候」である。

一つ目の「地域奉仕とボランティアの違い」について、日本には様々な地域奉仕活動がある。道路の清掃、ごみ拾い、公民館の清掃、農村の草刈りやため池の管理など、学校や会社でも少なからずあるであろう。時には楽しくやりがいがあるが、これらの活動は地域の一員としてしなければならない作業である。農村で欠席をすれば、出不足金を支払わなければならない。これは、コミュニティに所属する責任として、自分の時間と労力を提供する一つのボランティアである。ボランティアにはもう一つ意味があり、慈善活動、教育活動、またはそのほかの価値ある活動のために、自分の時間や才能をボランティアとして提供する考え方や実践である。こちらは、自ら実践するもので、誰からか命令されて行うものではない。それは、とても創造性に溢れるものであると思う。なぜなら、自分たちで考え、自分たちで行うからである。行政や民間企業、地域ができないサービスをつくり出し、カバーしている。日本では、なんとなく後者の力が弱いような気がしている。ボランティアスピリッツとは、「市民社会を自分たちが支え、創造し、変えていく」というようなところに本質があるように思う。良くも悪くも欧米と比べると日本ではあまり育っていないのではないだろうか。

次の二つ目の「休暇の少なさ」は論をまたない。欧米では、数週間、1カ月間の休暇があり、家族での旅行を多くの人々が楽しんでいる。彼らはこのような休暇を用いてボランティア活動にも参加し、新たな出会いや、体験、技術の習得に繰り出す人々が多い。大学合格後に得られるギャップイヤー制度、転職の際に半年や1年間、参加する若者も少なくない。長い人生の間に中長期のボランティア活動に従事して、人間の幅を広げる欧米の人々の慣習は社会の深みをもたらしているように思う。日本でもこのような仕組みや慣習があれば、もっと豊かな市民社会が形成されると期待される。

最後に、「農業と気候」は、温暖多雨な日本社会が農業を基盤に形成されているということである。稲作を基本としたライフスタイルは、多くの人々がサービス産業に転じた今でも、その、日々の忙しい生活感は変わることがない。また、屋外のボランティア活動では、特に夏場は暑く、虫も多い。欧米のカラッとした乾燥して快適な屋外活動というわけには行かない。当然、多くの人々には敬遠されるであろう。

ここまでつらつらと「なぜ、日本で里山保全ボランティアが広がらないか」という理由を、根拠のあいまいなまま述べてきた。まるで恩師の恩に仇を売り、自己否定するような話である。その上で、日本に里山保全活動を広げるには、日本の気候風土に即したボランティアの形があるであろうし、それを、探求していくことが必要である。

里地・里山の多面的機能と生物多様性の危機

里地・里山という言葉がある。定義は曖昧であるが一言で言うと、海津ゆりえ[*1]は「集落の生業・生活を支えてきた日常空間」と述べている。時代はおおむね1960年代末頃まで、人々は家屋敷、農耕地、水路やため池、茅場《かやば》、そして雑木林という一連の系の中で生活を営んできた。雑木林や茅場から薪炭《しんたん》材や堆肥にする枝葉、茅や山菜などを収穫した。農耕地では米や野菜を生産し、家屋は地域の材料で作られてきた。クヌギ・コナラ林やアカマツ林などの雑木林は、このような利用により維持管理され、その作業は集落により運営されてきたとされている。「里地」も「里山」も生活と密接な関わりを持つこれらの空間に対し慣習的に用いられてきた言葉である。語義としては集落と農耕地を一体的に指す場合、集落・農耕地と林地を含む場合、そして、林地のみを指す場合などがあるとされている。ここで重要なのは、里地・里山には「共同体がある」ということである。共同体の関わりの中で生業、そして生活が営まれてきた。そして、そのような屋敷地、農地、林地までもが日常空間であったことである。「ムラ」の人々は「ノラ」「ヤマ」で働き、子どもたちは仕事を手伝い、そのような空間で遊んできた。

現在では、薪炭林などの雑木林は農業への役割を喪失している。そのような日常空間としての「ヤマ」を失ったことは、「ヤマ」での仕事や遊びを失うことになった。現代では、日常空間としての「ノラ」「ムラ」も、多くの人にとっては接点がないであろう。仕事も遊びも行われなくなりつつある里地・里山は、既に遠い存在、すなわち、多くの人にとって「価値を感じることのできない存在」と言わざるを得ないであろう。

重松[*2]によると、里地・里山には次のような多面的な機能や潜在力を有していると言われている。

（1）環境保全機能

大気浄化、酸素供給、CO_2固定、土砂崩壊防止・土壌保全、洪水防止、都市気温の調節など。

（2）生活資源の供給機能

水源涵養《かんよう》、木材（建築部材、家具材、シイタケ榾木《ほたぎ》など）、パルプ材、エネルギー資源（炭材、バイオガス、バイオ発電など）、山菜・きのこなど。

（3）生物環境の保全機能

森林性及び原野性動植物の種多様性保全。

（4）アメニティ・教育・文化機能

林間利用による心身の健康回復、四季の景観・自然とのふれあいによる自然認識の増進、伝統文化や地域社会に対する理解と共感など。

これらの機能は、若干文言は異なるが、農林水産省では「農業・森林・水産業の多面的機能[*3]」として示されている。農業、林業、水産業は、単に自然を収奪するだけでなく、環境を育み、私たちの生活に必要な生活資源やアメニティを提供している。これらの考え方は洋の東西を問わず、普遍的な考え方である。しかしながら、「農林水産業の方法」「地球温暖化の側面」を加味すると、異なる側面が出てくる。「農林水産業の方法」については、あえて「近代化の弊害」と言い換えることもできると考える。ここで、里地・里山の環境を支えている生物多様性という観点から考えてみたい。環境省は「生物多様性の3つの危機」として、次の三つを示している[*4]。

（1）第1の危機：開発や乱獲など人間活動に伴う負のインパクトによる生物や生態系への影響。

その結果、多くの種が絶滅の危機。湿地生態系の消失が進行。島嶼《とうしょ》や山岳部など脆弱《ぜいじゃく》な生態系における影響。依然最も大きな影響要因。

（2）第2の危機：里山の荒廃等の人間活動の縮小や生活スタイルの変化に伴う影響。経済的価値減少の結果、二次林や二次草原が放置。耕作放棄地も拡大。一方、人工的整備の拡大も重なり里地里山生態系の質の劣化が進行。特有の動植物が消失。特に中山間地域で顕著、今後この傾向がさらに強まる。

（3）第3の危機：移入種等の人間活動によって新たに問題となっているインパクト。国外又は国内の他地域から様々な生物種が移入。その結果、在来種の捕食、交雑、環境攪乱《かくらん》等の影響が発生。化学物質の生態系への影響のおそれ。

農林水産業の近代化は、生産の機械化、それに伴う圃場《ほじょう》整備、農薬の利用、経営の合理化・効率化などにより達成されてきた。例えば、水路のコンクリート化でメダカやタガメが絶滅危惧種となり、針葉樹の一斉造林により多くの雑木林は林種転換され植物と景観の多様性は失われてきた。これは特に（1）の第1の危機、開発や乱獲など人間活動による負のインパクトである。農業の近代化の一方、人々の生活では電気・ガスが普及し、プラスチックの利用により薪・炭や、農林地の生産物を用いた生活用品の生産・利用の多くは消失した。農山村から仕事がなくなり、都市の発達もあり田舎の過疎に拍車がかかった。現在では、農林業の存続が危ぶまれる事態となっている。これは、（2）第2の危機、里山の荒廃や人間活動の縮小、すなわち、人の手が里地・里山に入らなくなったことで荒廃をもたらし、動植物が危機的状況に陥る事態である。この点は、動植物だけでなく人間も同様で、バランスを欠く都市化は、大規模災害時の被害の増大、社会に脆弱性をもたらすと懸念される。さらに、流通がグローバル化したことにより（3）第3の危機、外来種による在来種への影響が生じている。アカマツを枯らすマツノザイセンチュウしかり、ナラ類やシイ・カシ類などを枯らすカシノナガキクイムシしかりである。種の大陸間移動は昔から存在してきたことであるが、船便や航空便で移動する速さは、地域環境への適応が間に合わず、強い影響を及ぼしている。さらに、ここに第4の危機として「地球温暖化」が加わり、海洋環境の変化、森林火災、激甚災害など強い攪乱が加わりつつある。

農林水産省と環境省が相いれない施策を別々に立てているわけではない。同じ環境を見ていても立場が異なれば見るものが違う。このような世界の、このような国の状況に対して大切なのは、「地域の視点を持つ」ということであろう。多面的機能にしても、生物多様性の危機にしても、まずは、地域の状況がどうであるかが重要である。「ムラ」の人々は、生業と生活が最も重要である。先祖から何を継承し、子孫に何を残すのか。そのような日々の生活の中で、見えるモノ・コトがある。一方で、できること、できないこともある。さらに言うなら、見えない、気づかない、考えられないこともあるであろう。

里地・里山保全で考える問い

ここで里地・里山の保全を考える問いを五つほど示してみたい。一つ目は、「地域の継続性の問題」である。農山村の営みが縮小したとしても、「農業・森林・水産業の多面的機能」も「生物多様性の3つの危機」も、存在し続ける。そこにあり続けるがゆえに、人々は保全・管理を継続する必要がある。加えて、特に第4の危機である地球温暖化の影響が強くなり、都市居住の弊害が増したとき、私たちは田園居住を選択肢とする必要がある。その備えを含め、「地域の継続性の問題」が一つであろう。

二つ目は、誰がその地域の継続性を担うのかということである。先に述べたように、里地・里山の「ムラ」「ノラ」「ヤマ」での仕事は減少し、高齢化が進み、担い手は「マチ」で働いている。地域を支えてきた共同体は弱体化し、家屋や祭りでさえ継承することが困難な状況である。これは、「新たな営みの創出に関する問題」と言うことはできないだろうか。なお、ここで言う営みは様々なものを含む。まず「生業」であり、稼ぎを主とする営み。次に「地域の出事」であり、草刈りや祭りなど、地域共同体として里地・里山の維持のために行わなければならない営み。そして、「家族の生活」である。これらの営みについて、家族と地域共同体をベースとしながらも、新しい人々と出会い、組織を形成することにより、新たな展開が可能である。

三つ目は、関連となるが「ムラ」「ノラ」「ヤマ」で、どのような「営み」と「遊び」をつくり、人々の「日常空間」として再生できるのか。これは、「里地・里山の日常空間化の問題」とする。

四つ目は、「多面的機能や生物多様性の危機の見える化に関する問題」である。文化面に関しては文化財指定や観光マップで行われ、災害関連については危険度マップなどで周知されている。しかしながら、まだまだ地域の人々が大切だと認識していること、認識していないことを含め顕在化していくことが求められる。

最後に五つ目は、「里地・里山の将来像に関する問題」である。計画論としては、ここから出発すべきところである。しかしながら、地域外の人々との「営み」や「遊び」がなければ、一緒に地域を考え、新たな将来像を描くことはできない。

そこで、私は日本における里地・里山保全の展開の方向性として二つを考えるようになった。一つ目は「災害時における農業ボランティア」、二つ目は「里地・里山保全とアートのコラボレーション」である。

災害復興と地域の持続性

福岡県八女市黒木町笠原地域は中山間地に棚田と茶園景観の広がる風光明媚《ふうこうめいび》な地域である。本書を分担執筆している認定NPO法人山村塾の小森耕太が活動し、ソーシャルアートラボがこの5年間活動してきた地域の一つである。この棚田という石積みで作られた段々畑は、描く曲線や風景が優美である。一方、農家の耕作は斜面の移動に加え、石垣の草刈りなど、多くの労力を必要とする。このように農地管理が大変であるが、棚田は水田の発祥の一形態と言われている。それは、斜面から湧き出る水を確保しやすいこと。大雨が降っても水を溜め、水平に溢れさせ、たとえ土砂が崩れても上部の棚田が受け止めてくれる。実にうまくできた防災機能を有している。現在、多くの水田が広がる平地や川沿いは、河川堤防や水路などの高度な土木技術が必要であった。そういう意味で、棚田は古代から伝わる伝統景観である。

1997年、重松敏則と山村塾が出合ったころ、代表であり専業農家である椿原寿之《ひさゆき》は、「地域の所々で時折、棚田の石積みが崩れている。これまでは家族や地域で修復をしてきた。最近では、石積みのできる技術者も減少し、放置されたりコンクリートで補修する棚田も増えてきた」と、石積み技術の伝承や景観の変容について危惧しているという話をした。山村塾は、「農家だけで、この中山間地の農業を守れない」という理念の下、都会に住む家族を会員として受け入れ、ふだんの農業や交流活動の展開を始めていた。重松は、先に触れた里山保全ボランティア活動を提案し、英国のBTCVと共同し、棚田の石積み修復活動を合宿ボランティアとして展開した。

BTCVとの活動は10年程度で終了したが、その後も山村塾は多くの会員、また、ボランティアを受け入れ保全活動を展開した。そのような中、2012年に平成24年7月九州北部豪雨に襲われた。山村塾はふだんの里地・里山保全ボランティアのノウハウ、施設、装備、人々のつながりを活かし、家屋の泥だしにとどまらず、水路の土砂だし、農地の復旧などの「農業ボランティア」を展開したのである。山村塾としては、実に自然な、スムーズな活動展開だったと思う。しかしながら、一般的には、実に珍しい取り組みである。一般の災害ボランティアは生活の復旧を旨とするため、生業を行う農地にボランティアを派遣することはない。

私はこの農業ボランティアの展開に新たな地域デザインの可能性を感じた。過疎の進む中山間地に、平時は都会の里山保全ボランティアや余暇で訪れる家族でにぎわい、農家との新たな関係を育む。いざ、災害時には復旧ボランティア活動を展開する。とても自然な、都会と農村の市民社会が実現できるのではないだろうか。「里地・里山保全」とは違い「災害復旧」であれば、多くのボランティアが駆け付けてくれるのである。日本では、このように平時と災害をコインの裏表と考え、活動を展開しながら備えを積み上げていくことが、この地球温暖化が進行する状況の中で、地域を持続させるために大切なことだと考える。

さて、平時に里地・里山保全活動を災害ボランティア並みに、どう広げていくのか。この難題には、発想の転換が必要である。それが、「里地・里山保全とアートのコラボレーション」である。

新たな営みの創出について

ソーシャルアートラボは2015年度、キックオフフォーラムを経て文化庁の支援を受けながら「新しい交流の場を切りひらくアートマネジメント」と題し、アートマネジメント人材育成活動を開始した。

福岡県八女市の里山を舞台に行う取り組みは、地域や都市の人々にとって魅力的で、両者を結ぶ企画を立案するというテーマを掲げ、地域を巡りながら資源や課題を学び、企画を考えるワークショップから開始された。農山村におけるアートマネジメントに必要なスキルとは何であろうか。多くは、通常のマネジメントスキルと変わらないが、私は前述した「里地・里山の保全で考える五つの視点」から、「活動の目標設定」と、「農山村の生活技術」が特に重要と考えている。

「活動の目標」を設定される場合、次の三つの視点を、ぜひ検討いただきたい。

目標① アーティストと参加者の農山村に関する学びを深める。
目標② 農山村の人々のアートに関する学びを深める。
目標③ 作品は、その制作・展示活動において気づきや学びを深める媒体となる。

どこでもそうであると思うが、地域のおじちゃん、おばちゃんに、「今度、アート活動に……」と話した途端、「アートっちゃ、なんね。難しかごたある……」という言葉が返ってくる。「アートとはですね……」と説明を重ねるのも大切だと思うが、そこは、活動を進めながら学びを深めてもらうことを目標に設定するのがよい。農山村で何かを成し遂げるには、少なくとも10年という時間が必要であろう。一つひとつの活動の中で、お互いの気づきをアート作品の制作・展示を通じて積み上げていけば、双方、これまで感じることのなかった何かを感じ、これからの村づくりにつながるであろう。アートマネジメントにこれらの目標が設定できれば、農山村においてアート作品の制作・展示・発表は必要不可欠なものになると考える。

農山村でアート制作を行う際は、ぜひ、「農山村の生活技術」の向上に努めていただけるとよいと思う。

おじちゃん、おばちゃんたちとの話にとどまらず、例えば、草刈りを一緒にする。時間があるのであれば農作業を一緒にする。できれば、森林の保全活動を一緒にする。さらに言えば、地域に住まう。これらの活動を行うには、個々の技術に加え、安全管理、地域の言葉、地域の風習にも慣れていく必要がある。この効果は、安全に、楽しく、より良い作品を作るだけでなく、農山村の人々が他者を受け入れる機会となるからである。アートを言葉で説明するよりも、農山村の生活を共にすることが効果的である。伝えたいことは、最終的に制作の過程や作品を通じて感じ、気づいてもらうことができる。

アーティスト、アートマネジメントをされる方々には、その企画立案の際に、里地・里山での「仕事」や「遊び」に着目し、「ムラ」「ノラ」「ヤマ」を「新しい日常の場」としてぜひ提案いただきたい。また、先に述べた多面的機能や、生物多様性についても取り入れていただきたい。作品を通じてこれらの観点が深まれば、農山村に新たな息吹がもたらされると期待される。

奥八女芸農プロジェクトの展開について

２０１５年の企画立案ワークショップに始まり、２０１６年は福岡市内から大型バスで笠原地区を訪れる「アートバスツアー」、２０１７年はアートワークショップ体験、そして、２０１８年からは「奥八女芸農プロジェクト」の立ち上げが行われた。このプロジェクトは二つの活動で構成され、一つは2泊3日の合宿型講座プログラムを行う「奥八女芸農学校」、もう一つは山村塾が実施してきた国際ワークキャンププログラムと連携した「奥八女芸農ワークキャンプ」である。後者は長期間のプログラムで、数名の一般参加者とアーティストが合宿し、半分は農林作業を行い、半分はアート制作活動を行う、半農半アート活動の試みである。これは、「地域の農林業」「山村塾の里地・里山保全活動」「若者のワークキャンプ活動」、そして「アーティスト・イン・レジデンス」のコラボレーションである。詳細については、ぜひ、ソーシャルアートラボのホームページに掲載している報告書を参照いただきたい。

私はここで、4名のアーティストの作品についてレビューをしてみたい。2016年のアートバスツアーで制作された牛島光太郎の《届かなかった光の範囲》、2017年の奥八女芸農学校のプレ企画として実施されたジェームズ・ジャックによる「土のテイスティング」、2019年の奥八女芸農学校で行われた兼子裕代による「サイアノタイプ」ワークショップ、そして、2018年から2020年にかけて奥八女芸農ワークキャンプで取り組まれた武田力《りき》による「現代に民俗芸能をつくるin笠原」である。

まず、牛島光太郎の《届かなかった光の範囲》。この作品は、閉校となった笠原小学校の体育館を舞台に、小学校に残されているもの、そして、地域の家々から使用しなくなった日用品を借り、広い館内のフロアにテーブルライトを設置し、天井から吊り下げられ浮遊する「笠原のモノ」に光を当てるという作品である。[*5] 準備に当たり、アーティストやスタッフは家々を巡り、地域のものを借り集めた。展示当日の夜、暗い体育館の床に設置されたテーブルライトの明かりに、天井から吊り下げられた懐かしい日用品が照らし出された。日用品を別の形で展示された姿を見て、地域のおじちゃん、おばちゃんたちは何を感じただろう。きっと、「アートっちゃ、面白か、懐かしか」と、昔の話に花を咲かされたのではないだろうか。この作品は、アーティストによる地域の理解、そして、地域の人々のアートへの理解を進めた、とても良い作品だった。

次に、ジェームズ・ジャックによる「土のテイスティング」[*6]。この作品はアーティストユニット「世界土協会」による、土を五感で「味わう」ワークショップである。参加者は思い出のある土や暮らしている場所の土を持ち寄り、土をワイングラスに注ぐ。テーブルに着いた参加者で土の入ったワイングラスを回しながら、香り、手で触ってみる。土の提供者はソムリエに扮《ふん》し、土にまつわるストーリーを話すという内容である。土は、「1センチメートルが、自然に生成されるのに100年かかる」と言われ、長い年月をかけて風化された母岩と動植物の有機物が混合し、団粒構造を持った土になる。このワークショップは、そのような土と環境、そして、人々の生活の多様性を、皆で共有するという、なんと科学的にも、文化的にも理にかなったアートワークショップだろうかと感じ入った。

三つ目の、兼子裕代による「サイアノタイプ」[*7]は、和紙に薬品を塗布して作成した感光紙を用い、植物や、石、工具やチェーンソーの替え刃など、「被写体」となる素材を用い日光に照らすことにより現像できる写真のワークショップである。ふだんは見過ごす身近な植物、なんでもない日用品を、感光紙の上にレイアウトし、時間をかけて太陽の下で感光させる。「15分かな、30分かな」。雲の隙間から顔を出し入れする太陽をにらみながら「被写体」を感光紙に焼き付ける。そのひと時は、なんとも豊かな時間である。できた作品を紹介するときは、その植物や日用品の話に花が咲く。なんとなしにある農山村の植物、生活の中にあるモノの形態を楽しみ、機能を外れた使い方に、ワクワクするワークショップであった。このような新たな観察の仕方は、アートの成し得る技であると思う。

最後に、演出家・民俗芸能アーカイバーである武田力による「現代に民俗芸能をつくるin笠原」[*8][*9]である。この取り組みは2018年から3年間、奥八女芸農ワークキャンプとして、一般の国内外から参加したボランティアと一緒に長期間（初年は28日、翌・翌々年は50日）、寝泊まりしながら、農林業と制作・発表を行う形式で進められた。農林作業は野菜の収穫、草刈り、ラッキョウの植え付け、スギ・ヒノキの伐採、そしてヤギの散歩など、山村塾が日々管理している農林地で一緒に作業を行う。武田の制作活動は、地域の大工さん、お寺の和尚さん、福祉施設のおじいちゃん、おばあちゃんとの話が重ねられる。地域の歴史や農作業、災害時の経験など、地域の人々の生活や希望、願いについて理解が深められた。

新たに作るパフォーマンスはボランティアと一緒に対話と練習を重ね、武田がまとめた。2018年は、針葉樹の伐採地でのパフォーマンス、２０１９〜２０２０年は民謡『八女茶山唄』に合わせ新たな踊りが創作された。創作された《八女茶山おどり》は、地域の人々を招きお披露目をし、地域のお祭りでも紹介された。武田は山村塾の会誌の中で、施設の利用者さんの言葉が頭にずっと残っていると紹介している。それは「自身を律しながら、みんなで助け合いながら仕事をし、生活する姿を見せ合って生きてきた」。

この活動は農家の日々の生活の場に余所者が訪れる。そのコミュニケーションは時に難しい。武田は、農林作業で汗をかき、地域の人々と対話を重ね、創作した踊りの姿を見せ合い活動を進めてきた。この取り組みの上で地域の人々は日常の中に受け入れ、助け合いの手を差し伸べられたのだと思う。農山村の芸能は、その伝承が大きな課題である。しかしながら、かつては余所者と共に創作活動が行われてきた。このような取り組みが、地域への新たな息吹きの一つになることが期待される。

半農半アートの将来像

塩見直紀は「半農半X」というコンセプトを紹介している。[*10] 半農は、「この困難な時代を永続して生きていくための『小さな農』と、世に活かす『天与の才』、つまり『X』の二つが今、同時に必要ではないか」という問いであり、確信と述べられている。農については、「定年帰農」「スローフード」「地産地消」など、厳しい農業の中でも、実は、このような「小さな農」が広がり続けている。そこに、人それぞれの特技や仕事などの「X」が加わることで、新たな社会が実現するというのである。

地域の農林業を支えるには、確かに農林業を主業とする農林家の生業が必要である。しかし、農村を支えるには、農林家を支える「小さな農」を行う人々、「半農半X」を行う人々が併せて必要だろう。「X」

が「アート」であれば、農村の表現活動は、さらに深まることが期待される。私が紹介したアーティストやワークキャンプの活動は、一時的な来訪者である。山村塾が「農林業＋里地・里山保全」という活動を行うプラットフォームを提供することで「半農半アート」が実現できた。

このような活動の展開には、地域や市民団体のイニシアチブに加え、行政機関との連携も望まれる。基本は、ボトムアップ的な取り組みが理想と考えるが、地域の人材が十分でない場合は、行政機関による人材のリクルーティングが求められる。また、どのような地域の将来像を描き、計画、事業を進めていくのか。産官学民、支え合いを行うことも重要である。

「半農半アート」。個人から組織の取り組みまで、10の個人、10の地域があれば、それぞれの「半農半アート」の形がある。このような取り組みの先に、画一的な農山村ではなく、人々の個性と、地域の多様性が活きる社会が実現されることを願う。

注

1 全国雑木林会議（２００１）『現代雑木林辞典』百水社、99ページ

2 全国雑木林会議、前掲書、98ページ

3 農林水産省（２０１３）『平成24年度　食料・農業・農村白書』

4 環境省（２００２）『新・生物多様性国家戦略』

5 九州大学大学院芸術工学研究院附属ソーシャルアートラボ（２０１７）『アートが生まれる場所アートが紡ぐ時間 2 九州大学ソーシャルアートラボ平成28年度活動報告書』、28ページ

6 九州大学大学院芸術工学研究院附属ソーシャルアートラボ（２０１８）『アートが生まれる場所アートが紡ぐ時間 3 九州大学ソーシャルアートラボ平成27～29年度事業成果報告書』、１９９ページ

7　九州大学大学院芸術工学研究院附属ソーシャルアートラボ（２０２０）『アート活動を通した〝共に生きる社会〟の創造２ 九州大学ソーシャルアートラボ アートマネジメント人材育成事業 ２０１９年度活動報告書』、26ページ

8　九州大学大学院芸術工学研究院附属ソーシャルアートラボ（２０１９）『アート活動を通した〝共に生きる社会〟の創造 九州大学ソーシャルアートラボ アートマネジメント人材育成事業 平成30年度活動報告書』、28ページ

9　九州大学大学院芸術工学研究院附属ソーシャルアートラボ（２０２０）『アート活動を通した〝共に生きる社会〟の創造２ 九州大学ソーシャルアートラボ アートマネジメント人材育成事業 ２０１９年度活動報告書』、22〜29ページ

10　塩見直紀（２０１４）『半農半Ｘという生き方［決定版］』ちくま文庫

朝廣和夫　あさひろ かずお

九州大学大学院芸術工学研究院環境デザイン部門准教授、博士（芸術工学）。専門は緑地保全学。九州芸術工科大学環境設計学科、大学院卒業後、民間を経て１９９６年より九州芸術工科大学環境設計学科助手、里地・里山保全の教育研究に従事。２００９年より現職。２０１２年に起こった「平成24年7月九州北部豪雨」を受け、２０１６年に「災害後の農地復旧のための共助支援の手引き」を公開。共著に『よみがえれ里山・里地・里海』（築地書館、２０１０）、『Deforestation in the Teknaf Peninsula of Bangladesh』（Springer、２０１８）など。

Ⅴ　未来への歩みをデザインする

社会包摂につながる芸術活動では、必ずしもアート（作品）が主役にはなりません。
そのような場のマネジメントは、何を起点に発想し、
どのような視点を持って行うべきでしょうか。
本章では、マネジメントの視点について、現場で活動を行うときの姿勢（マインド）
に着目して考え、未来へ向けて歩むためのヒントを得ていきます。

人からはじまるアートマネジメント

吉野さつき（ワークショップコーディネーター・愛知大学文学部教授）

私にとってのアートマネジメント

「アートマネジメント」というカタカナ語は、改めて言うまでもないとは思うが、元は英語である。「Arts Management」の「Arts/Art」は芸術、「Management」は経営、管理、運営などが一般的な訳語であるが、「芸術の、もしくは芸術のための経営、管理、運営」が私の仕事なのかと考えると、どうにもしっくり来ない。部分的な実務としては当てはまるが、それらが全てでも中心でもないからだ。

「Management」の語源は「馬の手綱さばき」にあるとされている。人の手によって、どうにかして馬の歩みを進めるという意味まで遡ると、ようやく私の中で何かがつながる。そこにいる人たちの手によって、そこにいる人たちの表現をどうにかしながら歩みを進める、前に進むと考えると、これまでの私の現場と結び付いてくる。歩みを進める先に公演や発表といったゴールのようなものが設定されることもあるが、それらは通過点に過ぎない。その先に続くそれぞれの生活の営みの中にあるささやかな表現や、止むに止まれず表出するパワフルな表現と出合い、互いに影響し合いながら共に歩みを進めていく、その方法もまた共に試行錯誤することが、私にとってのアートマネジメントと言える。アートマネジメントとは、私が誰かと芸術表現を通じて共に生きるための手段なのだ。そのように考えるに至った背景からこの後のテキストを始めていく。

私が舞台芸術分野のマネジメントの仕事を始めた20年以上前、この分野で「社会包摂」という言葉を耳にすることはほとんどなかった。「市民参加」や「ワークショップ」という言葉が公立文化施設で使われ始めていたが、当時勤めていた公立文化施設での企画事業参加者の中に、障害のある人や外国籍の人など、いわゆるマイノリティとされる人たちはわずかだった。対象の幅を広げようと外国語での広報を提案したが、「それは国際交流課の仕事」とされ通らなかった。市民とは誰なのかを考えさせられた経験だ。

同じ施設で演劇ワークショップを企画したとき、「60歳を超えているが参加できるか」という問い合わせがあった。参加年齢に上限は設けていなかったが、自分たちにも開かれている場なのかを確認する同様の問い合わせがほかにも数件寄せられた。結果として3名ほどの60歳を超えた人たちが参加し、10代後半から60歳超までの幅広い年齢の参加者が共に演劇創作を体験した。人生経験豊富な参加者たちによる味のある表現は創作に深みを与え、若い参加者も講師の演出家や俳優も彼らから刺激を受け、世代を超えた関わりの場が生まれていた。そのときの講師の一人が、現在福岡の認定NPO法人ニコちゃんの会による「すっごい演劇アートプロジェクト」で演出や指導を行っている倉品淳子である。

高齢者による表現に強く関心を持った倉品は、その後福岡で60歳以上の女性たちによる劇団を立ち上げ、エイブルアート・オンステージに参加し、ニコちゃんの会と協働することになる。

肉体的な衰えや老いは、アートにおいて決してマイナスなものではなくむしろ表現を豊かにするものとなり得るのに、当時はまだそのような表現に出合える場は多くなかった。多様な人々に向けてどう企画し広報するかという私の視点もぼんやりとしていたが、様々な人に開かれた場が表現の可能性を広げることをこのとき実感した。

こうした文化施設での経験を経てフリーランスとなり、高齢者、障害のある人、児童養護施設の子どもたちなどと関わる現場が徐々に増えていった。それらの現場で多くの豊かな表現やユニークな表現、切実な表現に出合ったが、同時に社会の中でマイノリティとされる人々が置かれている状況に目を向けざるを得なくなった。さらに、その状況の中で、そこにいる人たちと共にどうにか日々の歩みを進めようとしている福祉や介護の関係者との共同も必須となっていった。そこには、高齢者福祉、障害者福祉、児童福祉、DV被害者の支援組織などそれぞれの分野の専門性があり、それぞれの現場や人々の事情があった。どの現場の人たちも、目の前の人たちの幸せのために必死で日々の仕事をしていた。その人たちのために必要とされるマネジメントを行っていたのだ。

彼らと協働するには、まずその視点を共有することから始めなければならなかった。そこから、彼らが大切に思う人たちのためのアートマネジメントを共に考えていく必要があった。それは芸術を中心に据えた経営、管理、運営といった限られた専門家によるマネジメントではなく、そこにいる人たちと共に生き歩むための、たくさんの人の手によるアートマネジメントだ。

誰か一人や限られた人が中心を担うのではなく、それぞれが得意とすることを提供し合い、足りない部分を補完し合いながら表現の場を創り支える。そのように関わることもまた表現の一部となり、表現とマネジメントの境界も混ざり合う。どちらかが一方を支えているのではなく、お互いに支え合い、それぞれのやり方で表現し合うようになっていく。中心と周縁があるのではなく、同じ地平に立つ異なる個と個の結び付きによって表現の場が創られ、日々の営みの中に広がっていく。

そのような場をどう呼べばいいのか、自分の仕事をどう説明すればいいのか、長いこと分からずにいたのだが、最近になってようやく社会包摂という言葉を使って説明できるようになった。私自身も当事者の一人として包摂されている、その社会の関わりの中に、私にとってのアートマネジメントが存在するのだ。

知らない者どうしがつくる関わり

ここからは、私の仕事を社会包摂につながるアートマネジメントとして、これまでの経験を基に、現場で大切にしていることをいくつか紹介していく。

社会包摂につながるアートマネジメントの現場は、互いに知らない者どうしが関わりをつくることから始まる。例えば、高齢者福祉の現場で働くスタッフがそれぞれどのような専門と役割を持っているのか、日々の生活プログラムがどのように組まれているのか、国や行政の制度によってどのような影響が生じているのかなどについて、アートの現場で働く者が知る機会は少ないだろう。同様に、アートの現場でどのように創作活動が行われ、どのような専門や役割の人たちがそこに関わっているのか、それが表現のジャンルごと様々に異なることなどを、高齢者福祉の現場で働く者が知る機会も少ないだろう。つまり、私たちはお互いに知らない者どうしであることを自覚し、それを前提に互いの一歩を踏み出さなくてはならない。

このとき私が大切にしているのは、まず相手を知ろうとすることだ。最初に話をする担当者がどのように働いているのか、どんなことを大事に考えているのか、外部から関わる私やアーティストたちに対してどのように期待や不安を持っているのか、ふだんの現場の状況、そこにいる人たちへの思いなど、できる限り詳しく話を聴く。可能なら事前に相手の現場に入り、様子を見せてもらうこともする。

随分と前のことだが、児童養護施設の子どもたちとの現場に初めて関わることになったときには、まず施設に一晩泊まらせてもらった。週末の、子どもたちが学校から帰ってくる午後から翌日の午後までの約24時間の間に、深夜リストカットした中学生が病院に運ばれるなど様々なことが起きた。そのような中、限られた人数の職員は、食事の用意や洗濯、掃除なども含め、子どもたちの生活を守る細々とした多くの仕事をこなしていた。その施設には知的障害のある子どももいたが、その子一人に職員がゆっくり向き合う時間を取ることは難しく、その子どもは学校から帰ると部屋にこもり、一人大声でずっと本を読んでいた。

限られた時間ではあったが、この滞在経験はその現場にどのように関わるべきか、具体的なイメージを持つことにつながった。全ての現場でここまでのことをしているわけではないが、これから関わる人たちのふだんの生活や様子を知ることは、その場に必要なアートマネジメントを考える重要な助けとなる。

さらに、相手を知ることだけなく、知り合う関係をつくることも必要だ。私の方からだけ一歩踏み込んでも、知り合うことは難しい。改めて考えてみると、ここが一番難しいところかもしれない。おそらくここで重要なのは、待つことだ。相手から直接依頼があったケースでも、互いに知り合おうとする関係が結ばれないうちに無理に進めると、多くの場合、良い結果にはつながらない。待ちながら、ときどき語りかけ様子を見守る。最終的に仕事に結び付かないこともあるが、それでも、その経験がほかの場で活かされることもある。また、忘れた頃に進み始めることもある。

このような知り合い方、関わり方は、締め切りのある助成金や年度で区切られる予算を頼りにしている場合には非常に難しいものとなるが、一方で、そのような制度に無理に合わせてやるべきことなのかも問い直されることになる。締め切りがあることで、なんとかお互いのすり合わせがうまくいくこともあれば、しこりが残ることもある。当然、一つの正解などはなく、ただ大切なのは、誰のために、何のために私たちが互いに知り合い関わり合おうとするのかを考えることだ。

学び合う関係をつくる

知り合おうとする関係づくりの中で必要となるのが、学び合いだ。先に述べた通り、私たちは知らない者どうしだ。どんなに時間をかけても、お互いの全てを知ることはできないし、異なる分野の専門家になることもできない。そのことは承知した上で、お互いの仕事や置かれている状況について、学び合うことが必要だ。

それぞれの分野や現場に、それぞれの常識やルールがある。異なる分野が共同しようとするとき、しばしばその違いが障壁となる。違うものを押し付け合っても何も始まらないので、私はまず、その常識やルールができた背景や理由を説明したり、聞いてみたりすることにしている。背景や理由を知ることで、お互いが納得できることもあれば、その上で新たな提案をし、丁寧にやりとりを積み重ねてその場に最適な方法を共に見つけていくこともできるからだ。

アートの分野では「常識をぶちこわす」というような表現が用いられることがあり、実際、表現や創作の上ではそれが必要とされることも多い。しかし、異なる分野と共同するマネジメントでは、いきなり「ぶちこわす」ようなことをしてはいけない。それでは現場を創る前に関係自体が壊れてしまうことになりかねない。互いに学び合う中で、少しずつ視点をずらしたり、視野を広げたりしながら、互いの常識をつくり変えていくことができれば、表現の可能性も広がっていく。荒療治で突破する、という方法が有効になることも時にはあるが、その方法はリスクについても十分熟慮した上で選択すべきだ。

言葉を知り合う

学び合う中で特に大切なことの一つに言葉がある。マネジメントの仕事の大半は言葉によるものだと私は考えている。企画書や報告書、広報資料、関係する様々な人たちとの打ち合わせやメールのやり取りなど全ては言葉によるものだ。その言葉が誰に向けられているものなのか、常に考えながら使うことが肝心だ。

分野や現場によって、専門用語や特殊な使われ方をする言葉もある。畑が少し違うだけで、通じない言葉があり、言葉の選び方を間違ったことであらぬ誤解やトラブルが生じることもある。特に、社会包摂につながるアートマネジメントの現場においては、それが誰かを深く傷つけてしまうこともある。

例えば、「障害」という言葉をどう表記するかはしばしば議論になってきたが、単に表記の問題とするのではなく、その言葉が使われている文脈や意図も含めて、お互いのすり合わせをしなくてはならない。相手の分野や現場で使われている言葉を知り、それがどのように使われているのかも知ることは、お互いの共通言語を増やし、理解を深めていくことにもつながる。

また、広報など情報発信の際には、届けたい相手に伝わる言葉を選ぶ必要があり、届ける手段によって調整する必要も生じる。例えば、「やさしい日本語」を使う必要がある、音声読み上げソフトを使う相手に届けるといったようなことだ。これには言葉とともにデザインの力も必要となる。いずれにしても、誰に届けようとしているのかを具体的にイメージし、言葉とその使い方を選び、そこに無意識の排除が内在する可能性にも気を配る必要がある。こうしたことを一つひとつ共に確認し、学び合う関係を築くことが、多様な人々による表現の場を広げていく。

アートマネジメントを捉え直す

ここでもう一度、「アートマネジメント」という言葉について考えてみよう。英語の「Arts Management」の「Management」の語源が人の手による「馬の手綱さばき」にあることは冒頭で述べた。では、「Art」はどうだろうか（ここでは複数形のsはとって、「Art」とする）。

語源となるラテン語の「ars（アルス）」には人による様々な技術の意味があるとされ、そこには医術も含まれる。少々強引ではあるが、アートを人の手による人が幸せに生きるための術とし、マネジメントを人の手によって歩みを進める方法としてみるならば、アートマネジメントとは、そもそも社会包摂的であり、多様な人々が共に幸せに生きるための術を用いて、多様な人々の手によって日々の歩みを進める方法とも言えるのではないだろうか。

このような場に求められるのは、少数のアート分野のエキスパートよりも、不完全だが芸術と他分野の接点を、それぞれの仕事や生活の中に見出していける多くのハイブリッドな人材だ。一人ひとりが不完全だからこそ、多くの人たちと知り合い、関わり合って表現の場を創ることができる。その関わり合いから既存のアートの枠組みを超えた表現が生み出され、同時に新しい共同体も形成されていく。

お互いの常識やルールを変化させ、言葉を共有し、表現を通じて関わり合うことで、少しずつ私たちが共に生きる社会の形を変えていく。そうしたことに自覚的な人材を様々な場で増やしつないでいくことが、多様な人々が生きやすい社会と多様で豊かなアートの場づくりにつながる。

また、このような場で生み出される表現は、一見ささやかなものに見えるかもしれないが、一人ひとりの生や生活の中に深く根づいた強いものだ。しかし、その表現は既存のアートの枠組みにとらわれた視点からはアートに見えないかもしれない。アートと呼ばれる前の名づけ得ぬもの、ささやかで強く心に響いてくる何か、人によって生み出されるそのようなものに気づくことができるのは、それぞれの場で目の前にいる人とその人の表現と丁寧に向き合う人たちだ。

アートもマネジメントも人から始まる。そこからアートマネジメントを捉え直すことがいま必要ではないだろうか。

吉野さつき　よしの さつき

英国シティ大学大学院でアーツマネジメントを学び、公共劇場勤務、英国で研修（文化庁派遣芸術家在外研修員）後、教育、福祉等の場で芸術を用いた活動に携わる。調査研究：日本財団パラリンピックサポートセンターとの共同「障がい者による舞台芸術活動に関するケーススタディ調査」（2016年）など。2017年度から2019年度まで厚生労働省障害者芸術文化活動普及支援事業評価委員。異ジャンルコラボバンド「門限ズ」メンバー。

オンラインがひらく新しい表現

長津結一郎（アートマネジメント）

2020年4月からの緊急事態宣言に伴った自粛生活では、多くの企業や教育機関などがこぞって、オンラインでの通話システムを導入した。芸術の分野でも早くから、オンラインを用いた表現活動や芸術教育の活動が広がっていた。しかしそのやり方は一筋縄ではいかない。そもそもオンラインでの芸術活動のノウハウは、誰のもとにも蓄積されていなかったからだ。ソーシャルアートラボも例外ではなく、これまで2年間継続してきた活動を展開させるに当たり、活動手法の模索を余儀なくされた。

ここではソーシャルアートラボが2020年に取り組んだオンラインならではの工夫のうち、筆

失われた日常

2020年春ごろから日本国内を席巻した新型コロナウイルスは、人間に対して、甚大な医療的ダメージのみならず、社会的なダメージを与えた。こと芸術の分野、特にアートプロジェクトに携わる立場から見ると、これまで私たちが大切にしてきた場は、常に「3密」の状況に置かれていた。手に手を取り合い身体表現をすること。共に顔を合わせて歌うこと。みんなで円になって語り合うこと。打ち上げで酒を酌み交わすこと。ついに、2021年に入ってもなお、そのような日常は、戻ってこなかった。

者が実際に携わった二つの事例を紹介し考察を加える。

「そもそも」に立ち返る

今回オンラインによる講座運営を余儀なくされたときに、私が真っ先に考えたのは「これで今まで大事にしてきたことができなくなってしまった」という考えであった。それも当然である。今まで私が担当してきた講座の多くは、実際に身体を使って、密に交流することから学びを深めていく、というタイプの講座だったからである。

その企画の変更をしていく際に拠り所となったのは、２０１８年度よりたびたび議論してきた事業の評価に関する知識や、社会包摂に関する考え方であった。とくに今回の局面では、協働的なアートプロジェクトやアートマネジメントにおいて重要な要素は何かを現場から抽出し指標をつくり、本書でも論考を通じて問題提起している村谷つかさの試み【２１６〜２３８ページ参照】に、非常に勇気づけられ、実際に役立った。その試みを私なりに要約すると、人々が企画を考えるときに頼ることができる「言葉」を置くことで、自分たちがやっていることの本質にある大事なことは何か、という問いに迫ろうとする態度である。自分たちがやっていることを振り返り、言葉にし、次に進むために、「指標」を立てるための議論をすること。今だからこそその議論をしていくことで、この社会、この状況における自分たちの企画の役割が見えてきたように思う。

日常の交換——〈演劇と社会包摂〉制作実践講座

「〈演劇と社会包摂〉制作実践講座」は、身体障害のある人を講師として招いた講座で、協働団体である認定ＮＰＯ法人ニコちゃんの会は重度の障害のある人たちのケアを行う事業も行っている。基礎疾患の問題や、接触が不可欠な場面などが想定されることから、対面での講座は全く不可能だと思われた。オンラインでどのように講座を運営するかを検討するに当たり、スタッフどうしでビジョンを再構築し、外部から招聘《しょうへい》していたアーティストである門限ズ（野村誠、遠田誠、倉品淳子、吉野さつき）と共有し議論を行った。その結果、これまでやってきたことを引き続き行うことができるポイントに、「日常の交換」というキーワードが浮かび上がってきた。これまでも、単に身体障害のある人と触れ合うという場ではなく、その置かれている背景や障害を知り深めることを通じた学びの場を提供してきた。その要素はオンラインになっても別の形で講座としてデザインできるのではないかと考えたのである。

実際に行われた講座【10ページ参照】では、Ｚｏｏｍを用いたワークショップを2回開催した。Ｚｏｏｍの機能を用いた遊びを行ったり、ブレイクアウトルームという機能を用いてグループワークを行うなど、比較的スムーズに講座が運営できた。中でも、障害のある人のふだんの暮らしぶりや、受講生それぞれの自宅の環境などを垣間見て、そこから表現が生まれていく様子から「日常の交換」をうまく実現できていたように感じられた（なお、この際に行ったオンライン講座運営の技術的な試行錯誤は、報告書にまとめている）[*1]。

また、講師として招聘していた障害のある俳優たち（森裕生《ゆうき》、里村歩、廣田渓）らが、この講座とは別に、ほかの仲間も募ってＺｏｏｍを通じて語りの場を開いていたのも印象に残った。「ヘルパーを介さなくてもこうやって集まれるんだ」という気づきが語られていたことにも、この状況ならではの副産物があったといえるだろう。

さらにこのワークショップから派生して、オンラインでの即興ダンス公演を行ったことにも大きな発見があった。２０２０年11月に実施した公演では、東京の自宅から遠田が、福岡の九州大学から里村がそれぞれ遠隔でＺｏｏｍを通じて即興ダンスを試みたのだ。このパフォーマンスは、距離は離れていながらも同期している動きをどう解釈したらいいのか、カメラワークの妙によって見え方がどのように変わるのか、などといった問いを投げかけ、まさにこれからの表現活動の可能性を示唆していた。

土を育てる――奥八女芸農プロジェクト

「奥八女芸農プロジェクト」は、里山や棚田の保全などを行う認定NPO法人山村塾との協働により、国内外のワークキャンプボランティアとアーティストが合宿形式で「半農半アート」の生活を試み、地域に新たな「芸能」を立ち上げるプロジェクトを2017年より行ってきた。しかし今回の状況により海外からの渡航制限がかかり、海外からのメンバーが来られないことが想定された。また合宿形式の滞在も、不特定多数が一度に滞在することが地域の中で理解を得られないことも想像できた。本事業についても話し合いを重ね、プロジェクトで大事にしていることを活かしながら別の形で展開することを模索してきた。その結果、従来2泊3日の形式で行っていた「奥八女芸農学校」を、一部プログラムを除いてオンライン化することにした。

奥八女芸農学校は従来より、主に都市部に在住する人々を対象として、山村塾がフィールドとしている福岡県八女市黒木町笠原地区との接点を構築することを試みてきた。講師として招聘したのは、2018年度から継続的に関与している演出家・民俗芸能アーカイバーの武田力《りき》である。武田が「演出」した奥八女芸農学校【11ページ参照】では、実際に受講生の自宅に「土」「米」「茶」などの笠原地区の農産物が、演出ノートとも言える「茶山だより」とともに郵送された。講座を実施する期間中に受講生は「土を育てる」という行為をしながら、Zoomでレクチャーを聞き、語りの場を持った。

これまでもソーシャルアートラボでは笠原地区を舞台に、ラジオと展覧会を通じた都市間交流の試みなどを行ってきた。[*2] その際には、ラジオがリスナーたちと地域とを媒介する形で、新たなコミュニケーションの回路をつくっていることに気づかされた。今回の取り組みはその延長としても捉えられる。遠くにいながら特定の場所に思いを馳《は》せるとともに、自らの手元には思いを馳せるための媒体として「土」が残ること。演劇的な手法を用いて、遠くの場所に何度でも出逢い直せるような交歓が生まれていたように思う。

オンラインという「障害」

オンラインのツールは、この局面を乗り切るための一時的な手段にすぎなかったはずだった。しかし、オンラインで演劇公演やコンサートが中継されたり、オンラインのツールを活かした表現活動が数多く発表されるようになってきた状況を振り返ると、再び全ての表現活動が対面に戻り、対面を原則とした社会に戻る、ということは、もう起こらないこととして考えた方がよいのかもしれない。

その状況において、むしろ希望として映るのは、いわばオンラインという「障害」に向き合ったアーティストやアートマネジャーとしての立場が、別の行いたいプロジェクトの本質を見失わずに、別の形で表現していったプロセスである。本書にも原稿を寄せる、認定NPO法人山村塾の小森耕太の発言にも元気づけられた。「こういう災害、災厄があるところから、新しい芸能が立ち上がるんじゃないか」と。

誰もいない美術館にロボットが入り、オンラインで美術鑑賞ができる機会は、鑑賞体験とは何なのかを問いかけている。福祉施設にカメラを入れて、別のところにいるアーティストとZｏｏｍを通じて音楽セッションをする機会は、共に音楽をするとはどういうことなのかを問いかけている。今やあらゆる表現が、オンラインという道具を用いることにより、新たなフェーズに入ってしまったのだ。

もちろん、オンラインは「障害」でもあるので、デジタルディバイドと呼ばれるような、機器全般に不慣れな人々を置いていかないような工夫は必須である。また、オンラインで行うことを目的化し、次々とアップデートされるデジタルツールに翻弄されるのも本末転倒である。２０２０年春からの1年間で進化してしまった表現のフェーズに対応するためのアートマネジメントは、様々な技術と人との間にある新たな表現の可能性を見つめるところから始まるのではないだろうか。

対面とオンラインの良さを組み合わせながら、現場ごと試行錯誤して、もちろんそれぞれの健康を担保した状態で優れた表現にどう磨きあげていくか。それが、社会包摂に関わる芸術活動における「新しい日常」の在り方を提起しているのだ。

注

1　長津結一郎［編］（２０２０）『九州大学大学院芸術工学研究院附属ソーシャルアートラボ「演劇と社会包摂」制作実践講座２０２０オンライン講座実施時の記録と実施ガイドライン』九州大学大学院芸術工学研究院附属ソーシャルアートラボ http://www.sal.design.kyushu-u.ac.jp/pdf/200831_sal_art_inclusion_onlineguide.pdf

2　長津結一郎・高坂葉月・中村美亜・尾本章（２０１８）「大学とローカルラジオ局の協働が生み出す地域間交流：番組とイベントの共同制作を通じた「共感」ベースのコミュニティの生成」、『芸術工学研究』第26号、65～78ページ

長津結一郎　ながつ ゆういちろう
→p.183参照

言葉を導く仕掛け
―現場から生まれた視点

村谷つかさ（デザイン学）

はじめに

本書は、「社会包摂につながる芸術活動」について、「読者が共感しながら読み進められ、良い未来を思い描き、その未来の実現に向けた一歩を踏み出す力となるもの」を作ることを目的として編集している。それには、読者が、活動によって実現を目指す未来の姿を具体的にイメージできるようになるとともに、活動の目的や意義を言葉にして必要な人たちに伝えるための術を得られるような内容が有用だと筆者は考えた。

社会の課題と向き合う多様な現場で活動を行っている人々の中には、助成金の申請書に「社会包摂」を目指した活動であると書きながらも、活動により達成したい明確なビジョンを仲間たちと共有できていない、あるいは、自分たちは良い活動を行っているのにほかの人から十分な理解を得られていないなどと感じている人も多いのではないか。「こうなったらいいな」という状況を多角的な視野から鮮やかにイメージすること、活動の目的や効果を的確な言葉で表すこと、さらにそれらを相手が理解できるかたちで他者と共有していくということは、実はとても難しいことである。

これは、ことさら事業実施現場のみが抱えた課題というわけではないだろう。社会包摂につながる芸術活動を思い浮かべるとき、障害のある人の絵画表現や身体表現、高齢者の音楽活動、在日外国人との演劇活動、災害被災地でのアートプロジェクト……多種多様な活動が既に全国で展開されている。近年はこれまで行われてきた草の根的な活動に加え、国による法整備も行われてきている。そこでは、排除されやすい立場にある人々の社会参加やエンパワメントとともに、活動を通した地域社会における包摂的な環境づくりが目指されている。*1

しかし、そのような個人レベルと社会レベルへの働きかけにより、社会的な価値を生み出すことが期待される「社会包摂につながる芸術活動」の概念及び、活動が社会に及ぼす良い影響を捉えるための評価の在り方は、明確に示されていない。また、活動の推進に必要なマネジメントの視点、育成すべき人材像や人材を育成するためのプログラムなど多くの点についても情報は未整理である。事業実施現場だけでなく、行政もこの活動が与えうる社会の変容について具体的な状態を表すことや、活動の社会的価値を言葉で示すことを十分にできているとは言い難い。

SALが2018年から3年間にわたって展開した「アートと社会包摂」に関する調査研究と三つの実践講座は、正式には「社会包摂に資する共創的芸術活動のデザインと人材育成プログラムの構築」という研究題目であり、まさに前述のような課題にアプローチしたものと言える。社会包摂につながる芸術活動の概念や評価に対しては「調査研究」事業として取り組み、その成果を基に事業実施現場における活用を意図した教材開発を年度ごとに行った。*2 社会包摂につながる芸術活動に関するアートマネジメントの在り方や人材育成にアプローチするには、実践講座を通して得られた知見の活用が見込めたが、その方法については良いアイデアを考える必要があった。

筆者は、場のマネジメントに関する思考の困難さには、社会包摂につながる芸術活動が持つ次のような特徴が関係していると考える。それは、この活動において対象とする人や課題の状況、関わる利害関係者など様々な要素が組み合わさった個別性の高い現場が想定されるという特徴。アート分野のみではなく、福祉や医療、教育、国際など多分野と交錯した活動内容になるという特徴。そして「社会包摂につながる『芸術活動』」と言いながら、必ずしも「アート」が主役となる活動ではないという特徴である。

つまり、そこから見えてくる課題として、各地で行われている活動の一つひとつが極めて高い個別性を持つため、一つの現場でうまくいったマネジメントの在り方をそのまま別の現場に持ち込むのが難しいこと、多分野との関わりの中で行われる活動のため、必ずしも「アート」が中心にはならず、既存のアートマネジメントの概念のみでは、場のマネジメントに必要な要素を捉えるのが難しいことなどが挙げられる。それらに伴い、活動の場をマネジメントする人材の育成に関しても、育成のポイントをうまく見定められない状態だと言える。

このように、アートなり障害者福祉なり特定の分野の基準に当てはめて捉えることが難しく、個別性の極めて高い活動現場をマネジメントする際に大切にすべき要素とは何か。ここまで本書を読み進めた読者は、関係者の実感が伴った言葉で「アートマネジメント」や「人材育成」などの意味が具体的に記された文章や、活動のイメージを喚起させる「備忘録」の紙面を通し、異なる活動現場においても大切にすべき要素には共通するものがあると、既に感じているのではないか。

筆者も自身が行ってきた実践・研究活動での経験をベースに、2018年からSALが行うほぼ全ての事業の企画・運営に携わる中で得た直感のようなものに導かれ、その共通する要素を明らかにしたいと考えた。それは、SALにおける三つの実践活動から導かれるものではあるが、活動を行うことで得た実感を基に丁寧に言語化していき内容を分析することで、ほかの領域や地域における活動のマネジメントにも共通する大切な要素となり得る予感を持った。そしてこの要素を基に、多様な分野や立場から活動に関わる人々が、論点をそろえた上で議論や実践を行うためのプラットフォームを作成できるのではないかという可能性を感じた。

このようなアイデアを発想したことから、筆者はＳＡＬの実践講座において、それぞれのプロジェクトで大切にしたことを検討する場を設けることを提案した。提案は許諾され、２０１９年度に1年間を通して「人材育成モデル検討会」を実施し、ＳＡＬメンバー全員で議論を重ねた。その結果、社会包摂につながる芸術活動のマネジメントにおいて、異なる現場であっても共通して大切となる基本的な要素を七つの「視点」として生成した。

本稿では、生成した社会包摂につながる芸術活動のマネジメントに必要な「視点」について解説するとともに、その生成プロセスを紹介し、２０２０年度に実際に「視点」を活用してプロジェクトを行ったことで得られた、マネジメントに関する知見を示す。そして、活動が包摂的な社会の実現にどのようにつながるのかを論じながら、社会包摂につながる芸術活動によって生み出される価値を必要な人に伝えるための言葉を獲得するために、七つの「視点」が果たしうる役割について考えていく。

「視点」の生成—活動において大切な基本的要素の整理

詳しくは後述するが、社会包摂につながる芸術活動のマネジメントに必要な七つの「視点」は、「人材育成モデル検討会」の逐語録*3を眺め、出てきた意見の中に共通項を探して分類し、そのグループを表すコード（グループ名）を付けるという分析を、検討会ごとに繰り返すことで生成した。生成した七つの「視点」とは、「編集」「翻訳」「調停」「共感」「共創」「リスクマネジメント」「循環」である（表1参照）。

それらが持つ意味をまずは解説する。

編集：多様な情報を収集・選択・再編成すること

これは、活動に関わる多様な情報を把握し、必要に応じて選択しながら、良いビジョン（理念、美意識）に向けてプロジェクトとして編集することを意味している。活動において対象となる課題のある人・状況・地域の背景やステークホルダー、時間的コンテクストなど、プロジェクトに関わる情報の内容は多岐にわたる。それらを学び、現状を異なるレベルやスケール、異なる立場で関わる人々の観点などから、多角的に理解することが場のマネジメントには必要となる。得た情報を基に、社会（課題）とのつながりの中でアートや

	視点		内容
1	編集	多様な情報を収集・選択・再構成すること	関わる多様な情報を把握し、良いビジョン（理念・美意識）に向けてプロジェクトとして編集すること
2	翻訳	プロジェクトの社会的意義を捉え価値を語ること	社会的・歴史的・文化的文脈の中でプロジェクトの意義・役割・効果を位置づけ、公共性に基づいた言葉で価値を語る（発信する）こと
			課題や対象と誠実に関わる中で、アート的なもの（存在・関係・作用）を見いだし価値を語る（発信する）こと
3	調停	異なる立場の関係者相互の利害を調整すること	立場が異なるステークホルダー相互の意見や関係を良い方向に調整すること
4	共感	自分ごととして対象と関わる機会や場をつくること	課題や対象に敬意を持ち誠実に関わる中で、置かれている状況や思い、願いを多角的に理解し、共感すること
5	共創	誰もが参加でき共創を生む場をつくること	個の気づきを他者と共有することで連携による気づきを促し、共創を生むステップをファシリテートすること
6	リスクマネジメント	危険予知や事故対応を適切に行うこと	危険予知や事故対応への意識、必要な関係機関との連携により適切にリスクマネジメントすること
7	循環	社会とアートの持続的な循環を促すこと	社会とアートの相互作用を導き、生態系のように循環する関係性を促すこと

（表1）社会包摂につながる芸術活動のマネジメントに必要な「視点」
（筆者作成）

アートプロジェクトの役割や効果を勘案し、活動のビジョンを持つ。そのビジョンに向けて情報を再編成しながら、他者に働きかけられるようなプロジェクトとして編集する。プロジェクトでは、アート作品の制作が目的になるとは限らない。また、収集すべき情報には、言語化されていないものも含まれる。対象（者）が言葉にできていない感触についても、例えば丁寧に質問を投げかけながら、その人自身の気づきを促しつつ言葉や表現として捉えていくことも大切である。

翻訳：プロジェクトの社会的意義を捉え価値を語ること

これは、アートやアートプロジェクトの意義を社会的文脈（社会的・歴史的・文化的コンテクスト）の中で位置づけ、公共性に基づいた言葉に翻訳して表現することで、必要な人にその価値を伝えるようにすることを意味している。そのためには、異なるレベル（個人・コミュニティ・社会レベル）やレイヤー、時間軸などにおいて実施するプロジェクトが持つ意味を認識する必要がある。

マネジメントに関しても、実施するプロジェクトのみに意識を向ける「狭義のマネジメント」だけではなく、プロジェクトの意義や価値を社会的文脈の中で捉えて実施する「広義のマネジメント」に対して意識を持てるとよい。また、社会包摂につながる芸術活動は、アート分野だけではなく複数の分野が交錯する中で行われるので、既存のアートの枠組みからでは捉えきれない価値が生まれることがある。そのような価値を捉えるためには、対象（者）や課題と誠実に関わる中で、活動現場で生じているアート的なもの（存在・関係・作用）を見いだすことができる目も必要となる。

調停：異なる立場の関係者相互の利害を調整すること

プロジェクトには、複数の専門領域や異なる立場から、様々な思いを持って関わる関係者が存在する。そのような異なる意識を持った人の間には、プロジェクトの各段階で、コンフリクトが生じることがある。よってマネジメントには、関係者それぞれの思いや意見、苦情などを聞きながら良い方向に調整することが必要となる。マネジメントを行う人は、どの関係者に対しても中立であることを自覚し、異なる立場から関わる人たちの利害を調整する役割を果たせるとよい。

これは、マネジメントというより現状に対する不満や、活動に対する問題点や疑問を受け付けるカスタマーセンター的役割と言えるかもしれない。それぞれの言葉に耳を傾けて思いを受け取りつつ、中立を保ち、負の感情が伴った情報を良い情報に変換しながら活動の状態を上方修正していく。その際、活動によって目指すことをアート的なビジョン（理念、美意識）として伝え、関係者のイメージを喚起する。そして、そのビジョンに向けて何ができるかを、一人ひとりが自ら考え主体的に行動できるように促していく。

共感：自分ごととして対象と関わる機会や場をつくること

プロジェクトにおいて関係者が、対象（者）を自分とは異なる他者の問題として認識するのではなく、自分自身にも関わりのあることとして意識できるかという点は重要である。マネジメントを行う際は、プロジェクトが対象（者）やその課題を抱えた状況を利用し、ただ消費するものになっていないかということに対して常に気を配る必要がある。対象（者）の置かれている状況を多角的に理解するとともに、抱く思いや本当の願いを知り共感することは、プロジェクトの起点となる要素と言える。

そのためには、まずは活動に関する現場に赴くことである。現場において、対象（者）に敬意を持ち誠実に関わる中で関係をつくっていくこと、頭で理解するだけではなく身体の感覚も使って現状を知ることが大切である。対象（者）が抱える課題に対し、自分とは関係のない他者のものとして手を差し伸べるのではなく、ほかでもない自分自身も関わることとして、良い未来に向けた活動を共にするという動機を持てるかは鍵となる。そして、多様な関係者に対しても、自分ごととしての共感を導くような機会や場をつくる工夫を行うことが必要である。

共創：誰もが参加でき共創を生む場をつくること

プロジェクトにおいて、関わる人々の間に相互作用を生む場をつくることは重要である。力のある決定者が上にいて、ほかの人はそれに従うという関係の中で行われる活動（プロデュース）では、一方向の関係になりがちだ。相互作用を生む場をつくるには、関わる一人ひとりが決定者として創造することを影で支える役割（マネジメント）が必要となる。

一人ひとりが決定者となる場をつくるには、対象（者）が抱える課題に対しこれまでとは異なる角度から光を当て、良いイメージへ変換するためにアート的なビジョン（美意識、理念）を伝え促していけるとよい。そのビジョンに向けて、それぞれが自身のできること／やりたいことを認識できると、「自分はこれをする／したい」という思いが伴った行動へとつながる。さらに、そうした個々の思いや行動を他者と共有する場をつくることで、連携による気づきを促すことができる。共創とはそのような、個々の主体的な創造が互いに作用しながら新たな創造や作用を生み出していくことを言う。共創を生むステップをファシリテートする場づくりの仕掛けについては、アーティストを含めた関係者で話し合うことで、豊かな発想が得られるだろう。

リスクマネジメント：危険予知や事故対応を適切に行うこと

関係者の安全や安心を満たす企画やマネジメントを行うことは、活動の基本と言える。プロジェクト全体の動きを把握し、起こりうる危険を事前に予測して対策を講じ、問題が発生した場合は速やかに事後対応を行うなど、必要な人や機関と連携しながら危機管理を行う。

いざというときに協力できるよう、通常時から関係者や関係機関とのコミュニケーションを大切にする意識を持つこと（ヒヤリハットの共有、緊急時連絡先の確認等）など、危険予知や事故対応への意識、必要な関係機関との連携により適切にリスクマネジメントをすることが必要である。

循環：社会とアートの持続的な循環を促すこと

これは、アートプロジェクトを行うことで社会に何らかの影響を与え、その影響によりアートもまた変容するというような、社会とアートの間に相互作用が生まれ、生態系のように持続的な循環を促していくことを意味している。

実際、実践講座としてＳＡＬが行った取り組みに触発されて、自発的に始まった活動がいくつもあった。このような循環の萌芽《ほうが》と言える活動こそ、プロジェクトの成果として評価されるべき事象であろう。プロジェクトを実施することで、関わった人やそれに触れた人に影響を与え、当初は想定していなかった思いがけない出来事が生まれること（セレンディピティ）は大切な要素である。

検討会ではこれらの「視点」が、目標に向けたプログラム構築を行う段階において、主催者（ＳＡＬ）・協働団体・アーティストの連携の在り方や、講座の内容・手法などに関するアイデア出しや意見交換の際に、論点として活用できるのではと話された。また、活動を行うことで何が起こっているのか／起こったのかなど、情報を整理することに役立つ可能性が議論された。そのように整理した情報を基に、次に行う活動の内容について「もっとこれを重視しよう」などと方針を定めたり、活動の目的を練り直したりするなど、様々な過程や場面で効果的に活用できる可能性が検討された。

「視点」生成のプロセス―人材育成モデル検討会の実施より

ここでは、七つの「視点」を生成したプロセスをもう少し詳しく説明する。「視点」生成のベースとなったＳＡＬ主催の三つの実践講座はそれぞれ、豪雨災害被災地における復興支援、身体障害者との舞台表現活動、過疎化集落における新たな農村文化の創出という、異なる社会課題を対象としたプロジェクトであった。また、各フィールドにおいて以前から活動を行っているＮＰＯ法人や私設美術館などと協働し、事業を実施しているという共通点はあるが、各協働団体とＳＡＬの関係は事業により異なる。

「九州北部豪雨災害復興支援プロジェクト」では、２０１７年の九州北部豪雨災害発生後、甚大な被害を受けた福岡県朝倉市黒川《くろがわ》地区にある廃校を利用した「共星《きょうせい》の里 黒川ＩＮＮ美術館」をはじめ、被災地域で創造的活動により復興支援を行っている複数団体や地域の人たちと協働している。彫刻家・研究者であるＳＡＬ教員が中心となり、共星の里のマネジャーやアートディレクターのほか、地域で創造的な活動により復興に向けた取り組みを行う団体や、被災地域の方々に話を聞くことで、必要な方針を定め地域のハブ（結節点）となるかたちで事業を実施した。

「〈演劇と社会包摂〉制作実践講座」では、身体障害者との演劇制作やケアを通したコミュニケーション支援講座などの実施経験が豊富な、認定ＮＰＯ法人ニコちゃんの会と協働している。ニコちゃんの会が主催する演劇公演やケアの講座に伴走するかたちで、アーティストや専門家を招聘《しょうへい》したワークショップや講座をＳＡＬが企画した。

「奥八女芸農プロジェクト」では、２０１２年の豪雨災害以降、人口減少が加速し過疎化が進行している福岡県八女市黒木町笠原地区において、里山保全などを行う認定ＮＰＯ法人山村塾と協働している。山村塾とのアートプロジェクト実施の試みは２０１５年から行っている。当初は、山村塾や地域住民のアートに関する理解は乏しかったが、近年はその効果を実感するようになり、山村塾からＳＡＬに企画提案を行ったり、アートプロジェクトを行うための助成金を獲得したりという自発的な動きにつながっている。

このように、復興支援ではＳＡＬが地域や活動家のハブになるかたち、ニコちゃんの会とはＳＡＬが伴走するかたち、山村塾とはＳＡＬがアートプロジェクトを導入することで自発的な活動に展開するかたちという、ＳＡＬと協働団体が事業ごとに異なるかたちで関係しなが

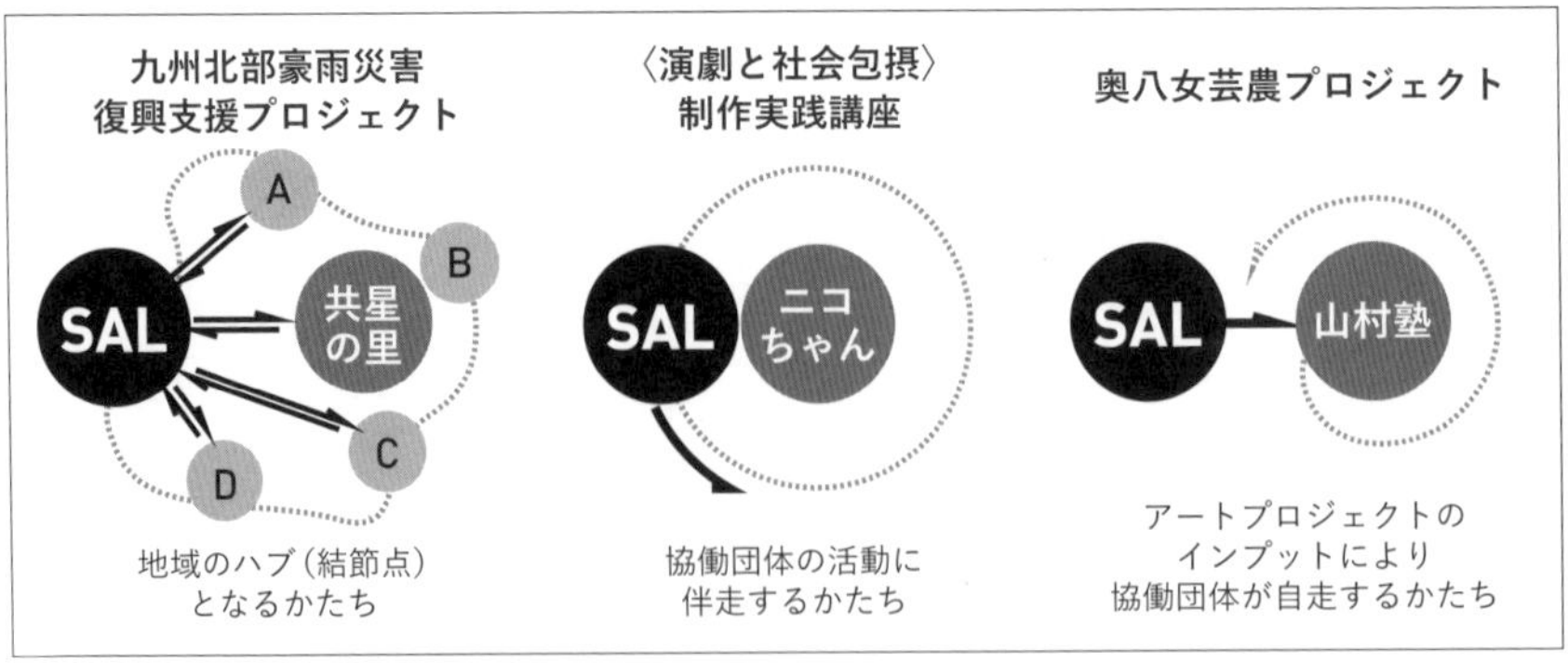

（図1）三つの実践講座におけるSALと協働団体の連携のかたち（筆者作成）

ら実施している（図1）。

「人材育成モデル検討会」は、SALメンバー全員が集まる月に一度の定例会議の中に時間を設け、全10回（非公開9回、公開研究会1回）実施した（2019年4月〜2020年3月）。検討会では三つの実践講座を通して得られた知見を基に、社会包摂につながる芸術活動に関するアートマネジメントや人材育成について議論を行った。毎回、筆者が会のファシリテーションを務め、資料を作った。資料[*4]は、検討会ごとに作成される逐語録を基に、KJ法を用いて類似した意見を分類して見出しを付けるなど質的に分析し、分析から見えてきた新たな知見や提案を加えることによって作成した。資料を基に議論することで、方針を定めながら内容の深化を図り、社会包摂につながる芸術活動のマネジメントや人材育成に関する論点の整理を行うとともに、異なる状況の現場においても共通する要素の抽出を試みた。

検討会のメンバーは現場経験を豊富に持つ研究者やスタッフの割合が高く、また専門分野も異なる人材が集まっていたので、多角的な観点から立体的な議論を行うことができた。人材育成モデル検討会における議論の概要を、次ページの表2に示す。

人材育成モデル検討会においては、社会包摂につながる芸術活動の人材育成に関する議論として、七つの「視点」はマネジメントする人のプロジェクトに向き合う姿勢（マインド）を育てることに役立つと話し合った。マネジメント人材の育成として大切なのは、専門家の育成よりもプロジェクトの関係者がチームとして育成されることだと考える。そして、人材育成プログラムを経て受講者に自発的な活動が生じることは、活動の持続性や広がりを考える上でとても大切なことだと言える。

社会包摂の実現を目指す活動においては、多様な立場から関わる人たちがそれぞれの特技や特性を活

回（日付）	議論の概要
第1回（2019年4月9日）	「アートマネジメント」「人材育成」について、ざっくばらんに話し合った。「社会の中でのアートの価値は、概念というより価値を価値とみなす行為のことであり動的なことなのではないか」などの意見があった。
第2回（5月14日）	SALが考える「アートマネジメント人材育成」像を言葉にする必要性について議論を行った。「アートマネジメント」「人材育成」について、SALの実践から得られたことを具体的な言葉にする必要性を確認した（ボトムアップ式に言葉をつむぐことができる可能性）。
第3回（7月17日）	「アートマネジメント」や「人材育成」について言葉にするため、アートマネジメントを行う人材（アートマネジャー）にはどのような視点が必要かについて議論を行った。「社会におけるプロジェクトの役割を知る」「プロデュースとマネジメントの違いを知る」などの意見があった。
第4回（8月21日）	これまでの内容を分析して作成した資料「社会包摂につながる芸術活動を行うアートマネジメント人材に必要な技能（育成すべきこと）」を基に議論を行った。「言葉や頭での思考だけでなく、皮膚接触（空気・感触）により感覚的・経験的に分かることが大切」などの意見があった。
第5回（10月4日）	前回の資料をアップデートし、「社会包摂につながる芸術活動のアートマネジメントに必要な力」として六つの力を示した。マネジメントのスキル（運営力）の育成よりも、新しい価値を創出する活動を展開できる力（マインド）の育成に着目した。
第6回（11月15日）	「どういう人を対象として」「どういう内容で」「どういう結果を生むのか」という流れに沿って整理した資料を作り、「社会包摂につながる芸術活動のアートマネジメントに必要な力」を育むプログラムの在り方に着目した議論を行った。
第7回（12月17日）	「社会包摂につながる芸術活動のアートマネジメントに必要な力」について更に議論を行った。「『必要な力』は個人が持つべき力に見えるが、チームとして力が備わることも大事ではないか」「人材育成の観点から、SALの活動に触発され自発的に始まった活動こそ評価されるべきではないか」「アートと社会の持続可能な循環を促すことが大切ではないか」などの意見があった。
第8回（2020年1月17日）	前回の議論を受け、新たな項目として「循環」を追加するとともに、「アートマネジメントに必要な力」を「アートマネジメントに必要な視点」に変更することを確認した。また、三つの実践講座の内容について、七つの「視点」を活用して分析した資料を基に議論を行った。
第9回 公開研究会（2月8日）	「【暫定版】社会包摂につながる芸術活動のアートマネジメントに必要な7つの視点」を軸に、公開研究会のプログラムを組んだ。各実践講座の内容について七つの「視点」を用いて分析した結果を発表し、実践講座の協働団体や参加者からフィードバックを得た。
第10回（3月10日）	公開研究会で得られた協働団体や参加者からのフィードバックも含め、情報を整理し直して資料を作成した。七つの「視点」を次年度のプログラム構築に活かすため、課題や要点、活用の可能性について議論した。

（表2）「人材育成モデル検討会」各回における議論の概要（2019年度）
（「SAL人材育成モデル検討会」の会議資料、会議録を基に筆者作成）

かしつつ相互作用を起こしながら持続的な活動によって、社会の在り方に変化を及ぼしていく道筋がある。その道筋において、力を発揮するマネジメント人材の育成は、専門職の育成という従来の考え方に収まらない、オルタナティブな人材育成の在り方であると言える。

七つの「視点」は、そのような人材育成を行うプログラムを構築する際に役立つ可能性がある。例えば、活動の目的設定やプログラム内容を関係者間で行う際の論点整理、活動プロセスにおける情報共有や記録、実施したプロジェクトの評価、検証など、各現場の環境や活動の経緯に沿って、各「視点」を活用した多様な取り組みが考えられる。多様な関係者が協働してプロジェクトを運営するに当たり共通の論点を与えることで、議論や実践を行う際のプラットフォームとしての機能を果たすと期待できる。そうした議論や実践の中で、関係する一人ひとりが主体的に考え行動するとともに、相互に作用し合い創造する場を展開していくことができるだろう。

「視点」の活用―これまでの出来事を整理しながら発想する

社会包摂につながる芸術活動に必要な「視点」について、2020年度はSALで行う実践講座の企画運営への活用を試みた。これは期せずして、コロナ禍における活動実施に際して大きな役割を果たした。この時期、全国のアートプロジェクトを行う現場では対面での活動が行えないことで、実施を諦めるか、これまでとは異なる形で実施するのかという選択を迫られたのではないか。もちろん実施を見送るという選択肢もあるのだが、SALではオンラインだからこそできる活動の在り方を模索した。

よく考えると、対面での活動実施は一つの手段であって、目的ではない。活動の目的を捉え直すことで、その目的にアプローチするための手段を柔軟に発想できるのではないかと筆者は考えた。もちろんこれまでもテーマを持ってプログラムを組んでいたのだが、対面で実施するときは全身の感覚を使って活動することで、言葉にしなくても大切なことを得られているという実感があった。その大切な実感とは何だったのか、それまでの2年間の活動で得た出来事を振り返り、整理することから話し合いを始めた。話し合いでは、生成した七つの「視点」を、散らかった部屋を片付けるための整理箱のように活用した。つまり、多様に絡み合う複雑な情報に対し、「あのとき起こったあのことには、どういう意味があったのか」ということを自分たちで分析していく道具として、各「視点」を活用したのである。

例として2020年度に実施した〈演劇と社会包摂〉制作実践講座において、「視点」を活用しながらどのように活動の目的を捉え直し、プログラムを作ったのかという過程を見ていく。

◎2020／3／24 ステップ1

まず、2020年度に向けて、プロジェクトの担当者2名（長津・眞﨑）に筆者が加わり、これまでの2年間のプロジェクトで行ったことや得られた気づき、受講者に起こってほしい変化など、思い付く事象をとにかく何でも付箋に書き出した。次に、壁面にそれぞれの「視点」のカードを並べて貼り、書き出した付箋の内容を見つめ、それらがどの「視点」に当てはまるのかを三人で話しながらマッピングを行った。そして、貼り付けた付箋を見ながら、似た内容のもので分類しつつ、付箋と付箋の間の関係について議論をしながら矢印や補足事項を書き込んでいった（このときは、講座を受けることで受講者たちに起こってほしい変化についてまとめていくことにした）。（図2）

この話し合いの結果、講座の目的を明確な言葉にすることができた。それは、「自分とは関係のないことであり、個人ではなくカテゴリーとして認識しがちである『障害（者）』、専門家じゃないとできないこと、もしくは『してあげる』という一方方向の行為と捉えられがちな『ケア』、専門家や特別な能力のある人がすることだと思われがちな『表現』に対し、受講することを通して『知る』ことを促す」ということであった。

講座において、その「知る」ことについて実感とともに考える場を提供することで、受講者が、それぞれの現場に戻った後に、自分たちの活動を展開する思考の糸口を得ることを目標とした。

◎2020／4／25　ステップ2

講座の目的に沿った場をつくるに当たり、「何をしたいか」について、さらに三人で話し合った。対面ではなくオンラインでのワークショップ開催を想定したときに、どのような方法があるのかを考えた。そして、講師の一人である作曲家の野村誠が行っていた前例から着想を得て、「障害のある人／ない人それぞれの日常を知ることを通して考える場にしたい」と思い至り、「日常の交換」をテーマに設定した。今回は、オンラインでの開催ということで、ふだんは公共の場で接する関係の人とも、自宅という非常にプライベートな空間から接することになる。そこから新たな気づきや表現が生まれる可能性に着目するという、オンラインの特性を活かす意図もあった。

(図2)

◎2020／5／10　ステップ3

講師であるアーティストの門限ズ（野村誠・遠田誠・倉品淳子・吉野さつき）に、ステップ1の内容をまとめた企画シートを見せながら講座の目的や「日常の交換」というテーマについて伝え、どのようなプログラムを実施するかブレインストーミングを行った。そこでは、アーティストならではの発想で様々なアイデアが出てきた。このときに内容をきっちりと決めたわけではないが、講座によって目指す方向性と、プログラムのイメージを運営側（ＳＡＬ）とアーティスト側で共有することができた。

その後は本番に向けた具体的なプログラムの内容を門限ズ主導で考えてもらい、ＳＡＬではタイムスケジュール案や、受講者に配布するオンラインアプリ（Ｚｏｏｍ）の操作マニュアルを作ったりした。また、企画シートで整理した内容は、受講者に実施するアンケート項目を検討するときにも非常に役立った。講座を通して受講者に生じてほしい変化を整理していたので、期待した変化が起こったのか？それは何をきっかけに？　どのように？　などと目的に沿った項目を作成することができた。

「視点」の活用 ― 対話の中で言葉を導く

「視点」の活用についてもう一例紹介したい。ＳＡＬでは２０１８年度から、毎年2月に「公開ディスカッション」という、ＳＡＬに関わる関係者が一堂に会して事業を振り返る会を開いており、そこではＳＡＬ事務局スタッフにそれぞれが担当したプロジェクトの発表をしてもらっている。今年度は、「視点」を用いた情報整理をすることで、３年間を通して各プロジェクトで得られた一番の成果が何かを言語化し、プレゼンテーションしてもらった。そのときのハイライトを紹介する。[*5]

◇〈演劇と社会包摂〉制作実践講座：眞﨑一美
「自分ごととして『障害』『ケア』『表現』について知るためには、障害の有無や、ケアする側／される側という立場の違いを越えて、人と人が対等に向き合い、対話を重ねてお互いを知ることで、多様な表現が生まれる場をつくることが大切である。その場で得た気づきから関係者が自身の活動の糸口を得ることや、表現の新しい可能性を感じることができていた。そうした場を通して受講者、協働団体、アーティスト、SALみんなが成長していることも分かった。そして、そのようなことを生み出す場には、対面／オンラインに関わらず『余白』が必要であると思った。『余白』があることで、偶然起こったことにも柔軟に対応でき、新たな気づきや表現が生まれるきっかけにもなることが分かった」。

◇九州北部豪雨災害復興支援プロジェクト：白水祐樹

「被災地でのアート活動を行う者にとって最も大切なのは、自分本位にやりたいことを押し付けるのではなく、現地の人たちに寄り添う気持ちであり、姿勢である。そのためには、被災地の状況や被災者の立場を『よく知る』ことが大切である。そして、『被災地を知る』プロセスは、自分の無知への反省の連続でもある。そこでは、謙虚に学び続けようとする覚悟が必要である」。

「外部から被災地に関わる人の多くは、その被災地に定住できるわけではない。復興ガーデンづくりなど、アート活動を通して、距離は離れていても、植えた木とともに思いはそこに根ざして、未来につながる深い関係が築けるのだと分かった」。

◇奥八女芸農プロジェクト：梶原千恵

「協働団体の山村塾が、SALの協力団体から協働団体になり、もはやアートマネジャーと言えるような動きに変化してきている。『モノだけがアートではない』『過疎は都会の問題』というような山村塾の小森さんの言葉は、アート側の視点に寄りがちな各地のアートマネジャーやSALのスタッフにも新たな気づきをもたらしてくれた。こうした変化の背景には、関わる全員がよく話し合ってビジョンを共有して、企画運営するという方法が影響していると思う。これまで私が経験してきたアートマネジメントは、やることありきで、運営とアーティスト、協働団体は役割が分かれていた。でも本事業は、課題が何か、参加者にどうなってほしいかというビジョンから企画を組み立てていた。プロセスに担い手が全員参加してビジョンを共有している。それが新たな表現方法につながったり、農とアートへの気づきをもたらしたりすると分かった」。

このようなスタッフが語った内容が、どの「視点」に当てはまるのかを明確に示すことは難しい。しかし、発表の準備段階で、活動において生じた様々なことについて「これは『翻訳』ということになるのかな」「これは『調停』寄りの『共感』かな」などと、自分で考えたり、考えをスタッフ間で交換したりする中で、新たな気づきを得ながら自身の考えを的確な言葉で表せるようになっていた。こうした経緯から、プロジェクトにおいて生じる複雑で一見捉えどころのない状況に、「視点」を差し込むことによって一定の秩序が生まれ、そこを手掛かりに思考や対話を始められるというプラットフォームとして各「視点」が機能したことが分かる。

最初から各「視点」に沿ってプロジェクト内容を考えようとすると、「視点」に縛られた考え方になり自由に発想することが難しくなるかもしれない。しかし、よく分からないまま仮でも目標を立てて活動をやってみて、そこで生まれたことを整理するときに「視点」を活用することで、「この『共創』は大事だった」「このときの『調停』がうまくいかなかった」などと関係者間で振り返りながら言葉を導き、次回へ向けた改善や発展につなげていくことができる。

おわりに

本稿では、生成した社会包摂につながる芸術活動のマネジメントに必要な「視点」について解説するとともに、その生成プロセスを紹介し、2020年度に実際に「視点」を活用してプロジェクトを行ったことで得られた知見を示した。最後に、社会包摂につながる芸術活動が包摂的な社会の実現にどのようにつながるのかを論じながら、活動によって生み出される価値を必要な人に伝えるための言葉を獲得するために、七つの「視点」が果たしうる役割について考える。

社会包摂につながる芸術活動により生じる社会的価値について、自身が長年関わってきた障害者の創作活動分野をヒントに少し論じたい。筆者は、これまで多様な分野の関係者が障害者の芸術文化活動の価値に関し、社会的価値の重要性を指摘しながらも、どうしても芸術や福祉の価値に沿った議論となっていることに違和感を覚えている。

一方、先進的と言われる障害者支援施設では、既存の芸術観や福祉観にとらわれず、目の前にいる（障害のある）人が抱く思いや能力の肯定を起点とした活動を行っている。その活動では、社会の常識に障害者を合わせるのではなく、その人に合った「仕事」のかたちを開発するなど、一人ひとりの特性を活かした活動が展開され、その魅力を社会につなげるために多彩な手法が編み出されている。それにより、障害者の自己肯定感を高めるとともに、活動に関わった人々の障害（者）観を揺さぶり、それまで常識だと思っていた社会の在り方に対する認識にも変化を生んでいる。筆者は、このような関わる人それぞれの「常識」に揺らぎを与え、新たな関係や社会の在り方がつくられていく過程にこそ注目したい。

そこには、障害者／健常者、被支援者／支援者、アーティスト／鑑賞者というような二項対立図式ではなく、グレーゾーンの中で互いに作用し合いながら、相互に変容していくという変化の過程がある。相互作用から相互変容、そして社会の変容につながる段階と道筋は、社会課題と関わりながらより豊かな社会の創造を目指すことを支点と定めて見たとき、実は、アートと福祉、両方の領域においてそれぞれの文脈の中で重視されている共通項なのである。*6

このことを押さえると、社会包摂につながる芸術活動も、障害者に着目した活動よりも対象となる範囲は広いが、同じように社会課題の解決（当事者のエンパワメントなど）と価値創造（社会を豊かにする価値を生み出す）という二つの要素が混在する活動であると捉えられる。そして、異なる背景を持ち関わり合う人どうし（時に人と自然など多様な場合があり得る）が作用し合い、相互変容が起こる道筋が社会の中で網の目のように広がっていくことで、マジョリティにマイノリティが合わせるというかたちではない、それぞれがありのまま存在できる社会の在り方に変容していくことが考えられる。

このような論点から考察すると、社会包摂につながる芸術活動のマネジメントにおいて核となるのは、異なる背景を持つ人どうしが創造的な活動を介して、いかに相互作用から相互変容を生む機会や場をつくり、それを社会へ広げる道筋をつくることができるかということだと言える。本稿において社会包摂につながる芸術活動の特徴として、実施現場ごとに極めて個別性が高いことを指摘したが、それはこのような道筋をつくるための在り方や方法が各現場の状況により大きく異なるということを意味する。

また、この道筋で行うコミュニケーションは、相互に同じ方法で行って成り立つ場合と、成り立たない場合がある。これは筆者が、長らく重度の知的障害のある人と創作活動をしてきた経験から感じたことである。言葉での意思疎通が難しい人と関わるときには、まず筆者自身の存在を相手に認識してもらう必要があった。そのためには、相手に理解してもらえるようなかたちでの働きかけが必要となる。一緒に過ごす時間の積み重ねであったり楽しい経験の共有であったり、記号としての言葉を越えた、信頼関係に基づく心と心の対話が必要であった。

社会包摂につながる芸術活動という、支援する側／される側という不平等が生じやすい関係の中で、マネジメントを行うためにまず必要なことは、多様な関係者と多様なかたちでの対話を通し、理想とするビジョンをつくることである。しかし、理想と現実の間にはギャップがある。その間をつなぐとき、アートが持つ創造性はどのような可能性を持つのか。そして、社会の中で活動を推進していくためには、どのような仲間が必要かを考えることも重要である。どのような立場や専門性、想いを持った人が仲間になるとよいか、ないし一緒に育っていけるとよいかを考え、チームを構築していくこともマネジメントにおける肝となる。

社会包摂につながる芸術活動には、異なる立場から異なる意見を持った人が関わることが前提となる。ゆえに活動に関する意識にはズレが生じるだろう。これは議論や実践に困難さをもたらすとも言えるが、別の角度から見ると多彩な発想から豊かな活動が展開できる機会と受け取ることもできる。とは言え、どのように？　を考えると何かしらの仕掛けが求められる。

ＳＡＬで生成した七つの「視点」は、一人で、もしくは仲間と思想を整理し、対話を通して言葉を生み出そうとするときに共通の論点を与える。異なる背景を持つ人が集う活動では自身の「日常」や「常識」が他者を傷つけることもあり得るため、相手の立場や状況に対する想像力を繊細に働かせ、失敗をしながらも諦めず互いの関係を築いて行くプロセスが必要となる。ズレをズレとして受け止めつつ、論点をそろえた議論や実践を進めるためのプラットフォームとして、「視点」が役立つことを願う。

注

1　文化庁（２０１８）「文化芸術推進基本計画―文化芸術の『多様な価値』を活かして、未来をつくる―（第1期）」ほか。

2　文化庁×九州大学 共同研究チーム編（２０１９）『はじめての〝社会包摂×文化芸術〟ハンドブック』九州大学大学院芸術工学研究院ソーシャルアートラボ、など。

3　九州大学ソーシャルアートラボ「ＳＡＬ人材育成会議 会議録」、九州大学ソーシャルアートラボ ２０１９年4月

〜2020年3月まで全9回分を参照。

4　村谷つかさ「社会包摂につながる芸術活動のアートマネジメント人材育成資料」、九州大学ソーシャルアートラボ2019年4月〜2020年3月まで全9回分を参照。

5　九州大学ソーシャルアートラボ 公開ディスカッション「アートマネジメントを捉えなおす〜アートと社会包摂の実践現場から〜」（2021年2月6日開催）逐語録より抜粋。

6　村谷つかさ（2018）「障がいのある人の創作活動の指標に関する研究」九州大学博士学位論文、第2章を参照。

村谷つかさ　むらや つかさ

九州大学大学院芸術工学研究院デザイン人間科学部門特任助教、博士（芸術工学）。デザイン、福祉、アートの領域から、多様な背景を持つ人どうしが共創する中で包摂的な社会をつくる仕掛けづくりとその実装について、実践・研究を続ける。学部在学中に障害者の創作活動に出合い、修士修了後、障害者支援施設で介護職に従事し多様なアートプロジェクト（デザイン実践）を10年にわたり展開。その後、博士学位を取得し、SAL学術研究員を経て現職。共著に『文化事業の評価ハンドブック――新たな価値を社会にひらく』（水曜社、2021）。

編者ノート 「備忘録 ―言葉の雫、未来への光」に流れる物語

Ⅲ「備忘録」にて、お伝えした言葉の雫。
より鮮やかなイメージが届くことを願い、その背景に流れる物語をちょっとだけここで解説。

文＝村谷つかさ

p.81 ドローイング（作者：里村歩）
「自分の人生を表した『線』を描いて欲しい」と、筆者が依頼して描いてもらった。初めは筆を使い綺麗な「線」を描いていたが、最終的には絵の具を直接付けた手を使って彼独自の「線」を表現してくれた。期せずして「言葉の雫、未来への光」という「備忘録」の副題を表すような作品となった。

p.82 遠田誠
オンラインで行ったディスカッションの中で、障害者と行う表現がテーマとなった際に、遠田が「温かく見守られるような視線で見られることで表現の質としてつまらない、甘いものになるということが『本当の敵』である」と語った。これについて野村誠は、「本気でやって面白いものができても『障害者の、福祉のやつね』という感じで、観客に見てもらうための土俵にも上がらないことがよくある」と述べた。さらに、「本気で表現をしているということを、まだ関心を持っていない人たちに向けてどのように伝えていけるのか、どう突破口を開けられるのかというマネジメントの問題がある」と指摘した。そこから、吉野さつきの「面白さを言葉にしていくために批評が必要だ」という議論（139ページ）へと発展していった。

p.83 里村歩
あゆきち（里村）とエンちゃん（遠田）が、ダンス対決を披露する直前にLINE上で交わした会話の一部。2020年に二人はダンスを通し、表現者としてヒリヒリとしたやりとりを続けた。6月に行ったイベントの中で、あゆきちが「エンちゃんとダンス対決がしたい」と挑戦状を叩き付け、エンちゃんがそれに応じた。二人はLINEを使い、メッセージのほかにも「こんな風に踊ってみた」というダンス動画を撮影しては相手に送るというやりとりを二往復行いながら方向性を探っていった。同年7月開催のワークショップにおいて、ダンス披露する前にこのダンス対決の経緯を受講者に説明することになり、その際、本番のダンスをより効果的に観客に見せるため、二往復させた動画の画像から音楽を消した方がいいのではないかというエンち

やんの提案に対して、あゆきちがこのようなメッセージを返送した。

p.84 里村歩

83ページと同じディスカッションの中で、言語障害のある里村が、文字盤（50音が並んだ表を指差して言葉を伝える道具）を活用して発言した言葉。遠田誠が、障害者と表現活動をするときに感じる問題点として、「観客から真綿で包《くる》むような優しい視線で見られることが本当の敵であり、どうすれば温かく見守られるようなところから脱却できるか」と語っていたことに反応して発した。

p.82〜85 写真

あゆきちとエンちゃんのダンス対決の様子。コロナ禍で移動ができないため、それぞれ福岡と東京に居ながらZoom上で共演するという形をとった。画面上で視覚的に見える相手の姿以上に、意識で相手を捉えている様子がうかがえた。本番で視聴者は、82〜83ページの紙面のように、左右に互いを見る形でパフォーマンスを鑑賞した。

p.86 森裕生

オンラインでのディスカッションにおいて、筆者が投げかけた「障害者支援施設において活動を行うときと、演劇を作る活動のときでは、周囲の人との関係の在り方に違いがあるのか」という質問に、森が答えたときの言葉。この質問に対して、車椅子ユーザーである廣田渓は、「演劇をするときは、自分を隠さなくていいから楽だ。それは、支援を受ける者として振る舞うのではなく、日頃は出さない自分を出して本音が言える場であるからだ」と語った。ニコちゃんの会代表の森山淳子も、「演劇を作る場では、その人を支援するために人が動くのではなく、いい演劇を一緒に作るためにそれぞれがどう動くかということになるので、その点が違うのではないか」と発言していた。野村誠は、「よく知っている人との間とそうではない人との間では、コミュニケーションの在り方が異なるため、障害の有無に関わらずどのような出会い方ができるかがポイントとなる」という点を指摘していた。

p.86 山下完和

滋賀県にある障害者支援施設「やまなみ工房」に所属する山際正己《まさみ》が、20年以上にわたって数十万体作り続けている「正己地蔵」に関して発した一言。やまなみ工房は30年ほど前に、単純作業などの実施を支援する環境から、障害のある人が好きなことにひたすら打ち込める環境へとシフトした。そのような工房の日常で生み出されたものについて、近年ではその美術的価値が認められ「アート」として多くの作品が世界に羽ばたいている。施設での活動が「アート」として脚光を浴びていることについて山下は、やまなみ工房としてのスタンスはずっと変わっていないと話す。アート関係者により、障害のある人が作るものや行為がアートとして価値づけされたために世の中の受け止め方が変わってきただけで、障害のある彼らがやっていることは30年前からなんら変わっていないと言うのだ。同じものであっても、それに対する視点が変わるとその価値も変わるということが山下の言葉から分かる。そのような周囲の価値観の変化に振り回されることなく、大切にするのはいつも「本人の思い」であり、常にそこに立ち返る（114ページ）という、やまなみ工房のスタンスが語られた。

p.86 写真
作り続けられている「正己地蔵」。

p.87 笠谷圭見
ドキュメンタリー映像作品『地蔵とリビドー』（2018）を監督した笠谷が、作品の一場面について解説した際の言葉。前述の「やまなみ工房」に所属するメンバーが、プロのスタイリストの手による衣装を身にまとい、プロカメラマンの前に堂々と立つ姿に、その場にいたスタッフみんなが心を打たれたという。この映像作品は、「ふつうのドキュメンタリーのようにしたくなかった」という笠谷の言葉通り、極力説明やナレーションを省いた作りになっており、福祉現場を対象としたドキュメンタリー映画というよりも、映像自体が挑戦的な「アート作品」と言える。作品上映後に行った、笠谷とやまなみ工房施設長・山下完和のトークでは、プロジェクトを行う中で現れた「かっこいい人」としての障害者の姿に、「障害」に対する概念（思い込み）が揺さぶられたというエピソードなどが語られ、受講者の強い共感を得ていた。

p.90 入江東吾、上地安諒、吉野さつき
門限ズがファシリテーションを行ったオンラインでのワークショップの中で、「死」に関する思い出を尋ねたときに受講者から話されたエピソード。不意な質問であったが、二人それぞれが持つ深い体験が語られ、参加者はみな聞き入っていた。異なる年代の受講者による異なる状況で得た体験談ではあったが、死はそこで止まることを意味するのではなく、そこからつながる何かを生み出すものであるという共通することが語られ、印象的な場面となった。

p.92～93 ドローイング（作者：廣田渓）
81ページ同様、筆者が依頼して描いてもらった。「流動的な黒い線だけじゃ物足りない」と感じ、「点と色がある線を描いたら面白いのではないか」と思い描いたそうだ。廣田は、〈演劇と社会包摂〉制作実践講座において何度かピアノの演奏を披露している。それは何かの曲を弾くのではなく、一つ、もしくは複数の鍵盤を弾いてみる中で、彼自身が探し当てた「しっくりくる」音を奏でたものだった。廣田のこの感覚を平面作品に用いたらどのような表現があらわれるのかと興味が湧き、描画の依頼を思い立った。

p.94 小寺美咲
フォーラムにおいて受講者から「芸術による幸せって何？」という質問が出た。これに対し、ニコちゃんの会の演劇に出演している障害のある俳優たちに意見を聞いた際に、小寺が答えた言葉。ほかの俳優からも、「生きているって感じがする」などの回答があった。

p.95 大松くみこ

大松は、第一子妊娠を機に食や子育て、社会問題への意識が変わり、2011年に友人らと子どもと自然な暮らしを楽しむ無認可保育所「みつばちおうちえん」を設立した。2015年には、夫らと「産の森学舎」というフリースクールを設立し、豊かな自然の中でクリエイティブな学びを行うスタイルが注目を集めている。大松たちが一番大切にしていることとして、「子どもは自ら育つ力を持っている」という基本的な考え方がある。子どもの中にあるものが、のびのびと心地よく伸びていくように環境を整えることが大人の仕事であるという考えを持ち、運営を行っている。

p.95 廣田渓

廣田は、自身が障害を持つことで感じる壁として、社会的にも壁はあるし、自分でつくっている壁もあると語った。彼がこれまでに、ネガティブな感情を生むそのような壁を越えていく強さを、表現を通して自分自身を発見したり、様々な人と出会ったりする中で身に付けてきたことが感じられる言葉。

p.96 ヤン・メーリン

香港にある東華三院《とうかさんいん》は、知的障害者・精神障害者・視覚障害のある高齢者などが利用し、通所者・入所者・スタッフがそれぞれ1000人ずつ、また5つのビルの中に42のセクションがあるという巨大福祉施設である。そこでは、利用者のことを「People with disabilities」（障害のある人）ではなく、「People with different abilities」（異なる能力を持つ人）という言い方をしている。これは、包摂的な社会の創造に向けて、障害のある人もない人もそれぞれが異なる能力を持った人であるという考え方を示したものである。講座では、東華三院が10年以上にわたって行っている「i-dArt（アイ・ディー・アート）」（愛不同藝術）というユニークなアートプログラムについて話をうかがった。

p.96 宮田智史

SALでは2018年度から3年間にわたって、事業の関係者が一堂に会して議論を行う「公開ディスカッション」を実施した。この中で行ったグループワークにおいて、一つのグループから出てきた「障害のある人にどうやって助けられたらいいか分からない」という疑問に対して登壇者である宮田が答えた言葉。この質問は、この会の議論の中で出てきた「障害のある人もない人も、お互いに助けたり助けられたりする関係が築けるといい」という内容を受けたものであった。

p.98 ユ・ベリーニ・ガイ・テス

前出の、東華三院（香港）が行うアートプログラム「i-dArt」を主導するベリーニ。彼女は、ある国際会議に参加した際、そこで発表をしていた野村誠の活動に関心を持ち、東華三院における3カ月間のアーティスト・イン・レジデンスを彼に依頼したという。その3カ月の間で施設に生じた変化について受講者から質問を受け、ベリーニが答えた際の言葉である。野村は、このレジデンス期間に、施設にある温浴治療に使用するプールやキッチンなどの設備も活用しながら、楽器や言葉、身体の動きなどを使ったインタラクションによるセッションを行い、19種類ものプロジェクトを実施した。その際、障害のある人とのコミュニケーションは表現を通して行えたが、支援者は障害のある人から反応が出る前に何かをさせようとするため、むしろ支援者とのコミュニケーションの方が苦労したという。レジデンス最後のプロジェクトでは、トラム（路面電車）を貸し切り、オープンになっている2階部分で選抜メンバーと演奏しながら香港の街を疾走した。トラムの乗車経験すらなかったメンバーが生き生きと演奏する姿を見て、最初は心配していた支援者や沿道に駆けつけた声援部隊（ボランティア！）も、大いに盛り上がり楽しんでいたそうだ。

p. 98 井上直己

井上（通称ゴンちゃん）は、ふだんは居宅支援のケアスタッフとして働いている。居宅支援とは、利用者の家を訪問し食事を作ったり入浴やトイレの介助をしたり、家庭生活において利用者が必要とする介助を行う支援のことをいう。ゴンちゃんは、あゆきち（里村歩）やけい（廣田渓）の家をケアスタッフとして訪れるときは「体調はいいですか?」などと敬語で接している。しかし、演劇公演のスタッフとして関わるときは、制作の裏方としての意識で関わるので、彼らとも舞台制作の仲間として対等に接するなど、状況によって自分の立ち位置を変えた関わりをしていると言う。この話から、彼らの間には居宅支援の場の「障害者」と「支援者」という関係のほかに、演劇を作る場における「俳優」と「裏方」という仲間としての関係もあることが分かる。

p. 99 森田かずよ

身体障害を持ち、ダンサーや演出家などとして活躍している森田が、活動を行う際に関わる人との関係性について語った言葉。森田は、いわゆる健常者／障害者という形の話をした場合に、圧倒的に障害者の方が少ないため、障害者に慣れてない、話したことがない、どんなことができるか／できないかが分からないという人も多くいるということを指摘していた。そして、そのような人と会った場合には、まず何ができるかということを互いに把握する時間が必要であるとも言い、互いに遠慮せず話し合える関係性をつくっていくことの大切さを語っていた。

p. 100 倉品淳子

オンラインでのディスカッションにおいて、筆者が尋ねた「障害のある人と演劇を作るときに、『ケア』をどう捉えているか」という質問への返答。障害のある人と活動を行うときに必要となる「ケア」は、活動を妨げる余計な手間であったり、専門知識がないと行えない難しいことだと思われがちだ。しかし倉品は、ケアを行う際に必要となる互いのコミュニケーションの在り方を、芝居の演出に最大限活かして新たな表現を生み出している。また、舞台上で障害のある俳優が行う表現は一見すると分かりにくいものもあるが、それを捉える目を観客が育むことができるような演出を行っている点も非常に興味深い。

p.101 井上直己
ケアスタッフとして、重度の身体障害者の介助を行うときのやりとりに関して語られた言葉。言葉での意思疎通が難しい相手の場合、介助者はわずかな顔の表情や身体の緊張具合を手掛かりに、相手の感情を探っていくことになる。それには触れ合いを重ねていく中で、お互いの存在を認め合う信頼関係が必要となる。言葉とは異なる繊細なコミュニケーションの在り方と言える。

p.103 倉品淳子、平畑貴志
ニコちゃんの会主催の「すっごい演劇アートプロジェクト」において公演された演劇作品『走れ！メロス。』（2018）の稽古中での会話。演出家である倉品と俳優である平畑との繊細なやりとり。平畑は進行性の障害により、身体や表情を使って意思疎通を行うことが難しい状態であった。本当に会話は成り立っているのか？　本人どうしも正解は分からないかもしれない。でも、何か通じるものが二人の間にあることが感じられる。

p.106 遠田誠
遠田とあゆきち（里村歩）の出会いは、2018年に行った〈演劇と社会包摂〉制作実践講座である。ワークショップの休憩時間に野村誠がピアノを弾いていたところ、遠田、森裕生をはじめ受講者も交じった即興ダンスが始まった。そこにケアを終えたあゆきちも加わり、各々の表現が集中と緊張の中で影響し合いながら繰り広げられていた。それから3年目の2020年、あゆきちが挑戦状を叩きつけ、二人はオンラインという場でダンス対決をする関係にまでになった（239ページ参照）。「踊るという行為でのコミュニケーションは、言葉を使うよりまどろっこしくない」「あゆきちと最初に会ったとき、互いの目を見て野生動物のようなやり取りを行った」と、遠田は当時を回顧している。

p.106 廣田渓
ノム（野村誠）とZoom越しに行った即興ピアノ演奏について、廣田が語った感想。オンラインの環境ゆえに生じるわずかな音のズレも魅力に変えて、奏でられた二人の世界の美しさを想像して欲しい。

p.107 中山博晶
ワークショップの中で身体に麻痺のある森裕生が、「エネルギーをたくさん使うから鍛えている。筋肉がすごいから是非触ってみて欲しい」と話し、受講者みなで森を触るという場面があった。その体験を経ての感想。

p.108 山下完和
例えば「障害者問題」とか、大変な被害を受けた「被災者」とか、一括りにされて語られることが多いが、その中にもいろいろなことで悩まれている人がいるという話の流れの中で、山下が発した言葉。括られたカテゴリーではなく、一人ひとりが個人として存在していることに対する気づきを、聴衆に与える言葉であった。

p.108 安聖民
自身が朝鮮人であることと、日本に住んでいること、それを日本の中でどう捉えたらいいのかということが分からなかったという、安の経験から語られた言葉。『狭間に生きる』というのは、誤解を恐れずに言うと、全員狭間に生きているのではないか。しかし、自分がどの狭間に生きているのかを捉えることは難しいことである」と話した。そして、「みんなが自分も狭間に生きているのではないかと思ってほしい。例えば『おかあちゃん』と『妻』の狭間というように」と会場に語りかけていた。

p.109 安聖民
パンソリ奏者である安は、寺田吉孝(国立民族学博物館教授/現・名誉教授)と髙正子(神戸大学非常勤講師)が制作したドキュメンタリー映画『アリラン峠を越えていく』(2018)に出演している。「映画を通し、在日コリアンが受ける差別を訴えたいのではない。マイノリティの方が、例えば在日であるというひとかたまりで見られることが多い現状に対して、『個人として生きる在り方が音楽となっている』ことを伝えるために映画が役に立っているのではないか」と語っていた。

p.110~111 兼子裕代
写真展『GARDEN PROJECT 光と土―持続する希望のために』とともに開催したトークイベントにおいて、写真家の兼子が語った言葉。「GARDEN PROJECT」(ガーデン・プロジェクト)は、アフリカ系アメリカ人の弁護士キャサリン・スニードが1992年に始めたNPOである。サンフランシスコ郡刑務所第5庁舎に隣接した広大な敷地で畑と園芸を運営し、元受刑者や低所得者、家庭環境に問題を抱える若者たちとともに農作業を行っていた(2018年6月に外的要因により閉鎖)。そこで働く人々の動き、光や風、木々や花々、土地から受ける自然のエネルギー……。兼子は、GARDEN PROJECTのスタッフとして働きながら、それらの瞬間を切り取り、自然や他者との共存の美しさを浮かび上がらせている。トークイベントでは正方形に撮られた写真を見ながら、人と人、人と自然との関係、労働を通し自尊心を育むことの大切さやその先にある希望などについて語られた。

p.110~111 写真
兼子裕代「GARDEN PROJECT」シリーズの写真作品。ハッセルブラッドのカメラを用いて撮影されている。

p.113 森田かずよ
歳を重ねていくことで、昨年はできていたパフォーマンスの動きが今年はできなくなることもよくある。それを、無理やり最初のやり方で見せ続けようとするのではなく、変化していく身体の状態に合わせて表現自体も変化させていく、という話の流れの中での発言。

p.116 寺田吉孝
映像作品を作ることの意味について語っている場面での言葉。作品は静的なモノと捉えられがちだが、動的なコトを生み出す装置として捉えると、多様な可能性が見えてくる。寺田は、在日コリアンの音楽をテーマとしたドキュメンタリー映画『アリラン峠を越えていく』(2018)のほかにも、『沖縄のエイサー、大阪のエイサー』(2015)など多様なテーマを扱い、映像作品を作って上映しては、フィードバックを受けて修正するという形での研究をしている。

p.117 羽原康恵
「アートで豊かになる団地」というテーマで開催したイベントでの発言。羽原からは、東京の郊外都市である取手市にある井野団地と戸頭団地という大きな団地において、2010年から行われている「アートのある団地」での取り組みが紹介された。取手アートプロジェクトが行ってきたプロジェクトの内容に加え、プロジェクトを通してアートに馴染みのない住民との関係の変化がどのように生じたか、事業運営の体制や資金面についてなど、リアルな現場を知るための質問が受講者から多く出ていた。

p.120 コウ・シミン
2019年度の奥八女芸農プロジェクトでは、合宿型ワークショップの前日に豪雨災害の警報が発令され、やむなく一般参加を取りやめた。すでに現地入りしていたスタッフやアーティストは、山村塾の活動拠点である「えがおの森」のすぐ裏手にある川から、土砂が流れる大きな音が絶え間なく聞こえてきたため、非常に不安な夜を過ごしたという。

p.120 写真
2019年8月29日の八女市黒木町笠原地区の様子。豪雨により、美しい棚田が滝のようになっている。

p.125 宮園福夫
八女市黒木町笠原地区で行ったワークショップに登壇した宮園(お茶農家)が、ワークキャンプメンバーから受けた「娘さんたちにお茶農家を継いでもらいたいか?」という質問に対する回答。「お茶農家は経営が厳しいので継いでほしいとは言えないが、誰か一人でもこの土地に住み続けてほしい」という願いが語られた。お茶という産業の方に目がいきがちだが、風土や文化という形で受け継がれてきた、お茶という生業を通して育まれたこの地に住む人々の思いや強さに対する深い敬意と信頼が感じられる。

p.125 写真
2018年度に行った、奥八女芸農プロジェクトの成果発表の様子。アーティストの武田力が海外から来たワークキャンプメンバー（国際ワークキャンププログラム参加者）たちと、28日間の半農半アート生活を送る中で新たな民俗芸能を作り、地域の人などが見守る中、杉山で披露した。古くから地元で行われている、杉山に入るときの神事から着想を得ている。左からアルバート（香港）、ユリア（ロシア）、カシア（香港）、武田。

p.126〜127 柳和暢
豪雨災害により甚大な被害を受けた際、地滑りを起こした山から「共星の里」に流れ着いたいくつもの巨石について、それらを生かした復興の庭づくりをしたいという思いを話したときの言葉。大きな被害を受けた後、それを象徴するような巨石の存在は、取り除くからこそ復興を成し得るのでは？ という考えを根底から覆される内容の話であった。人の営みを中心とした発想ではない、自然と共に生きることを起点とした発想から捉える復興の姿とは、災害前の「元の姿に戻す」ということだけではないと気づかされる。柳の話からは、起きたことを（恐れや悲しみも含めて）受け止めながら、より良い未来を創造するということへの思いや土地への愛が感じられた。

p.126〜127 写真
平成29年7月九州北部豪雨災害（2017年）により大きな被害を受けた「共星の里 黒川INN美術館」（旧黒川小学校）のグラウンド。被災直後は、山から流れ込んだ土砂や倒木などの深さが3メートルほどもあったという。土砂などを取り除いた後に現れた巨大な桃色の岩を活かして、人々に癒しを与える「黒川復興ガーデン」づくりのプロジェクトが行われた。写真は、2018年10月に行われた作庭ワークショップの様子。

p.129 逆瀬川陽介、志水健一郎
黒川復興ガーデンづくりのワークショップに参加した受講者が、まだ暑さの残る9月に、一日中草を刈って、木を植えてという労働を大汗をかきながら行った後の感想。木という存在自体が、私たちに与える影響について気づかされる。木は、植えるという行為で完結するのではなく、植えることで未来につながる思考を育めるのだという、未来ある学生受講者の言葉。

p.128〜129 写真
2019年9月から2020年3月にかけて行われた、「黒川復興ガーデン」作庭ワークショップと東屋づくりの様子。

p.130、133 写真
口羽雅晴が復興を願い、地域の人の癒しにつながることを願って制作した《共生 -tomoiki-》（2020）の場面より（2020年10月11日、共星の里において無観客上演）。130ページは、少女が蛍の光をまとうシーン（演者：山中りり花・学生）。133ページは、災害に翻弄された少女が、被災により傷つきながらも生きるイチョウの木と向き合うシーンである。この大きなイチョウの木は、黒川地区の住民に親しまれている大木であり、被災当時3メートルもの深さの土砂が流入し傷つきながらも生き残った、まさに地域において復興の象徴と呼べる存在だ。少女が手を触れている幹をよく見ると、流入した土砂によって表面の皮が削れていることが分かる。

p.131 写真

密岡稜大制作のデジタル枯山水『調身・調息・調心』(2020)より(2020年10月11日、共星の里において無観客上演)。巨石が並べられた「黒川復興ガーデン」を借景とし、枯山水をモチーフにインスタレーションを実施した際の一場面。人が立ち止まると、その場を中心に砂の波紋が広がり、その場から離れると波紋は儚《はかな》く消えてしまう。豊かな虫の音が響く中、夜のとばりの内に、波紋の静かな広がりと消滅が浮かぶという幻想的な空間が生まれていた。

p.135 野村誠

アクセシビリティについて、ハッとさせられたという受講者の声が多く寄せられた一言。コロナ禍の影響により、2020年度はワークショップをオンラインで行うことになり、事前にZoomの操作方法に関するマニュアルを作成して受講者と共有した。ワークショップは、主催者がその内容について説明を行うところから始めた。その際、操作マニュアルの説明に加えて、野村が発した言葉である。

---

p.136 写真

239ページで解説した、あゆきち(里村歩)とエンちゃん(遠田誠)が作品を作る際に送り合った、「こんな風に踊ってみた」というダンス動画の一場面。下の写真は、ロケを行った遊歩道にあるトンネルの中で撮影したもの。あゆきちが、声をあげ手を振り上げながら車椅子を疾走させ、トンネルから外へ出る寸前の画像だ。この後、彼は光の中に消えていく……。

p.141 知足美加子

公開ディスカッションにおいて、プロジェクトの中でアートが果たす役割について登壇者が順番に語っていく場面で、知足の話の中で現れた表現。「愛の拠点」という言葉に対し、会場が一瞬ざわついた。全く関わっていない人にとっても、意識をそこに集めるとそれがいつか愛に変わると言う。例えば、芸術の授業において「石を磨く」ということをすると、最初は何の思い入れもない石のカケラが、磨いていくうちに、その石が壊れると辛くなってしまうほど愛するものに変わるポイントが生まれる。気づき自体は本人のものなのだが、そのようなポイントをどのようにつくるかが、仕掛けをつくる人の役割となるという話であった。

九州大学ソーシャルアートラボの経緯とこれから

ソーシャルアートラボの前身となったのは、２００７年より科学技術振興機構の補助金をいただいて5年間実施した「ホールマネジメントエンジニア育成ユニット」です。これは、本学に置かれている音響設計学科が、コンサートホールをはじめとする劇場などの音響設計を仕事とする先輩を多く輩出している背景から、劇場を真の意味で活用することができる人材の育成が必要である、という理念に基づいて構築された、アート・工学・マネジメントを柱とした教育プロジェクトでした。補助金終了後の２０１２年には九州大学大学院芸術工学府独自で運用する教育プログラムに衣替えして、現在も継続しています。

その後、この取り組みを音響設計学科のみならず、芸術工学部局全体に広げようという動きから、ソーシャルアートラボが組織されました。社会の問題をアートで解決しようと、一緒に考え、行動する組織として成長してきましたが、その足跡は本書に記されている通りです。

ソーシャルアートラボは２０２１年4月から「社会包摂デザイン・イニシアティブ」という、ひとまわり大きな組織の中で活動することになりました。「ホールマネジメント」→「ソーシャルアート」→「社会包摂」と、一緒に活動する仲間も増えてきました。本書に描かれているような内容だけでなく、アート、デザイン、そして音響工学など様々な観点から社会包摂を考える組織として視野を広げつつあります。

看板はどうなろうと、幅広く、深く、力強く、そして多くの方に寄り添える活動を続けていきたいと思っています。さらなるご指導、ご協力をお願いいたします。

九州大学大学院芸術工学研究院附属社会包摂デザイン・イニシアティブ

施設長　尾本章

九州大学ソーシャルアートラボ メンバー

［2018～2020年度］

［ラボ長］
尾本章（教授・応用音響工学）

［副ラボ長・人材育成グループ 研究代表者］
中村美亜（准教授・芸術社会学）

［構成教員］
知足美加子（教授・彫刻）
朝廣和夫（准教授・緑地保全学）
長津結一郎（助教・アートマネジメント）

［事務局］
村谷つかさ（学術研究員・デザイン学）
白水祐樹（テクニカルスタッフ）
眞﨑一美（テクニカルスタッフ）　※2019～2020年度
宮本聡（テクニカルスタッフ）　※2018年度
有馬恵子（テクニカルスタッフ）　※2018年度
藤原旅人（テクニカルスタッフ）　※2019年度
梶原千恵（リサーチアシスタント）　※2020年度
椙山尚子（事務補佐員）　※2018～2019年度
山本哲子（事務補佐員）　※2019～2020年度

［アドバイザー］
大澤寅雄（株式会社ニッセイ基礎研究所芸術文化プロジェクト室主任研究員）

2018～2020年度にソーシャルアートラボが行った活動リストを、
ウェブサイトにてご覧いただけます。
http://www.sal.design.kyushu-u.ac.jp/

あとがき

本書はＳＡＬの２０１８年度からの３年間のアートマネジメント人材育成講座の運営を踏まえて制作された「教材」です。ですが留意しなければならないのは、ＳＡＬで実施したプロジェクトは、大学と、共に活動してくださった団体の、皆さんが関わることで初めて生み出されたもので、文脈依存性が高いものです。それをそのままモデルとして提言するには、無理がある部分もあるでしょう。その一方で、個別の事例として見放してしまうのも惜しい気持ちでいます。それは、私たちが手がけてきた数々の講座で受講者だけでなく講師やスタッフ、関係者たちに学びが起こったことと同様に、この本もまた、読み手と書き手との相互的な関係の中で学びが生起するのではないかと期待しているからです。

吉野さつきさんは、「アート」も「マネジメント」も人から始まる、と説きました。その議論を借りて言えば、社会包摂に関わるアートマネジメントの現場には、多様な社会課題を目の前にしている人たちとできるだけ目線を合わせるようにし、その場に一緒に佇んでみるような関係性の築き方が求められるでしょう。もちろん、そうした関係性は一朝一夕にできるものではありません。本書では試行錯誤の「錯誤」の部分が十分に伝わらなかったかもしれませんが、３年間のあいだには実に多くの失敗もありました。相手のためを思ってやったことが誰かの怒りを買ってしまうこともあったり、インクルーシブな場を開こうとしつつも危うく誰かをぞんざいに扱ってしまいそうになることもありました。そのときに助けられたのは、関わってくださった多様な人たちの助言であり、苦言でした。もしかしたら本書の端々から感じ取ることができるかもしれないそのプロセスの一つひとつが、私たちを思い込みから解きほぐし、時間をかけることの重要性、人と向き合うことの重要性に立ち戻らせてくれたように思います。

本書を構成するに当たって、私たちの生の体験の種をできるだけ遠くに飛ばすことができるように言葉を尽くしたつもりではありますが、受け手によってもちろんその解釈は異なるでしょう。例えばこれからアートマネジメントの現場に取り組もうとする人には、プロジェクトの概要自体が新鮮に映るかもしれません。行政などで文化政策を担当されている方は、Ⅰ「活動への扉をひらく」で聞くことのできる他分野の人々の思わぬ生の声に驚きながら読み進めるかもしれません。ふだん芸術の現場に関わっていないけれども関心をお持ちの方には、論考や対談などを通じて、自分の現場でアートができることに思いを馳せるきっかけになるかもしれません。そして、すでにアートマネジメントの現場で働いている方には、Ⅲ「備忘録―言葉の雫、未来への光」から響く言葉を見つけたり、論考で自分の立ち位置を点検し見直すようなことが起こるかもしれません。こうした、多様な読み手による、多様な思いが交差する、そのプラットフォームとして私たちの歩みが機能してくれるとしたら、こんなにありがたいことはありません。

SALの歩みは、数多くの方々の支援と協力に支えられてきました。文化庁「大学における文化芸術推進事業」による補助を継続的にいただけたことが大きな推進力となりました。また学内でも我々の活動を影に日向に支えてくださった、九州大学大学院芸術工学研究院の谷正和研究院長をはじめとした先生方、ならびに芸術工学部事務部の皆さんに感謝申し上げます。また、ソーシャルアートラボを構成する教員・スタッフの皆さんとは、立場を超え有意義で豊かな議論を積み重ねてきました。もし読者のみなさんが本書からの学びを得てくださっているとしたら、それはこのような熱意のあるメンバーどうしによって、活動の意味を深く考察する場がひらかれていたからにほかなりません。

事業推進に当たっては共催団体（公益財団法人福岡市文化芸術振興財団、共星の里 黒川ＩＮＮ美術館、認定ＮＰＯ法人山村塾、ＮＰＯ法人ドネルモ、認定ＮＰＯ法人ニコちゃんの会）の皆さん、ご登壇いただいた講師の皆さん、講座を受講してくださった方々をはじめ、非常に多くの方々にご尽力いただきました。今後ともご指導のほどよろしくお願いいたします。

本書の出版に際しては、本書の目指すところをご理解くださり、論考やエッセイ、ストーリー、対談という形で取り上げさせていただいた著者の皆さまにお礼申し上げます。また一般書として出版するにあたっての率直な意見交換も含め、水曜社代表の仙道弘生さんに大変お世話になりました。

デザイナーの大村政之さん（図案考案クルール）はＳＡＬ発足時から現在に至るまでの毎回の年次報告書のデザインで、私たちの活動をより魅力的に発信するための橋渡しをしてくださいました。今回は特に「備忘録」でその実力を発揮してくださり、心に残る紙面を共に作りあげることができました。また、編集の木下貴子さん（ＣＸＢ）は、２０１７年度の報告書からのお付き合いになりますが、遅々として進まない執筆・編集作業に本当に辛抱強く併走してくださいました。お二人の力なくしてはとてもここまでたどり着くことができませんでした。深く御礼を申し上げます。

また、「備忘録」で使用した3年間の写真や言葉は、本書の企画・構成を共同で務めた村谷つかささんのもと、ＳＡＬスタッフの皆さん（白水祐樹さん、眞﨑一美さん、梶原千恵さん、山本哲子さん）により厳選されたものです。膨大な記録の中から、キラリと光るひと雫を見つけるまでの、途方もない作業量を思い、心から感謝申し上げます。

「備忘録」というまとめ方のアイデアの発案者でもある知足美加子さんの言葉を借りると「昨日とつながらない今日」を生きる私たちは、それでも続いていく日常を、それぞれが暮らす場所から編んでいくしかない。その一瞬を丁寧に過ごすところに、これからのアートマネジメントの道筋がひらかれていると信じて、これからも「人」から始まるアートマネジメントを続けていきたいと思います。

２０２１年6月

本書企画・構成　長津結一郎

著者一覧

論考

中村美亜　九州大学大学院芸術工学研究院コミュニケーションデザイン科学部門准教授（芸術社会学）
知足美加子　九州大学大学院芸術工学研究院コンテンツ・クリエーティブデザイン部門教授（彫刻）
長津結一郎　九州大学大学院芸術工学研究院コミュニケーションデザイン科学部門助教（アートマネジメント）
朝廣和夫　九州大学大学院芸術工学研究院環境デザイン部門准教授（緑地保全学）
村谷つかさ　九州大学大学院芸術工学研究院デザイン人間科学部門特任助教（デザイン学）

エッセイ

小森耕太　認定NPO法人山村塾理事長
尾藤悦子　共星の里ゼネラルマネジャー
吉野さつき　ワークショップコーディネーター・愛知大学文学部教授

ストーリー

里村歩　俳優
川上里以菜　九州大学芸術工学部音響設計学科卒
ファン ポウェイ　認定NPO法人山村塾スタッフ
白水祐樹　九州大学大学院芸術工学研究院附属ソーシャルアートラボテクニカルスタッフ（2018〜2020年度）
眞﨑一美　九州大学大学院芸術工学研究院附属ソーシャルアートラボテクニカルスタッフ（2019〜2020年度）
藤岡希美　行政書士

対談

野村誠　作曲家・ピアニスト・日本相撲聞芸術作曲家協議会理事
武田力　演出家・民俗芸能アーカイバー
森田かずよ　ダンサー・俳優
大澤寅雄　（株）ニッセイ基礎研究所芸術文化プロジェクト室主任研究員

九州大学ソーシャルアートラボ
〒815-8540　福岡市南区塩原4-9-1
九州大学大学院芸術工学研究院附属社会包摂デザイン・イニシアティブ ソーシャルアートラボ
Tel & Fax 092-553-4552
URL: http://www.sal.design.kyushu-u.ac.jp

九州大学ソーシャルアートラボ

九州大学大学院芸術工学研究院に2015年に設置された附属組織。社会の課題にコミットし、人間どうしの新しいつながりを生み出す芸術実践を「ソーシャルアート」と捉え、その研究・教育・実践・提言を通じて、新しい「生」の価値を提示していくことを目的としている。キャッチフレーズは「"面白い"を形にし、"豊かさ"を見える化する」。2021年4月からは九州大学大学院芸術工学研究院附属社会包摂デザイン・イニシアティブ内の組織として活動を継続。

村谷つかさ

九州大学大学院芸術工学研究院デザイン人間科学部門特任助教、博士(芸術工学)。デザイン、福祉、アートの領域から包摂的な社会をつくる仕掛けづくりとその実装について実践・研究を続ける。修士修了後、障害者支援施設で介護職に従事しアートプロジェクト(デザイン実践)を10年にわたり展開。その後、博士学位取得、SAL学術研究員を経て現職。

長津結一郎

九州大学大学院芸術工学研究院コミュニケーションデザイン科学部門助教、博士(学術・東京藝術大学)。専門は文化政策学、アートマネジメント、芸術と社会包摂。東京藝術大学音楽学部教育研究助手、慶應義塾大学グローバルセキュリティ研究所研究員、NPO法人多様性と境界に関する対話と表現の研究所代表理事等を経て現職。

SAL BOOKS ②

アートマネジメントと社会包摂——アートの現場を社会にひらく

発行日　2021年7月21日　初版第1刷

編　九州大学ソーシャルアートラボ

企画・構成　村谷つかさ、長津結一郎

発行人　仙道弘生

発行所　株式会社水曜社

〒160-0022　東京都新宿区新宿1-14-12

Tel 03-3351-8768　Fax 03-5362-7279

URL：suiyosha.hondana.jp

水曜社

印刷　亜細亜印刷株式会社

編集　木下貴子(CXB)、長津結一郎、村谷つかさ

デザイン　大村政之(図案考案クルール)

写真　兼子裕代、富永亜紀子、長野聡史、西村翼　※III「備忘録」についてはp.145に掲載

ドローイング　廣田渓(表紙,本扉,中扉II)、森裕生(中扉I,IV,V)、里村歩(中扉III)

イラスト　坂田優子

ISBN 978-4-88065-511-6 C0036